$35.^{00}$

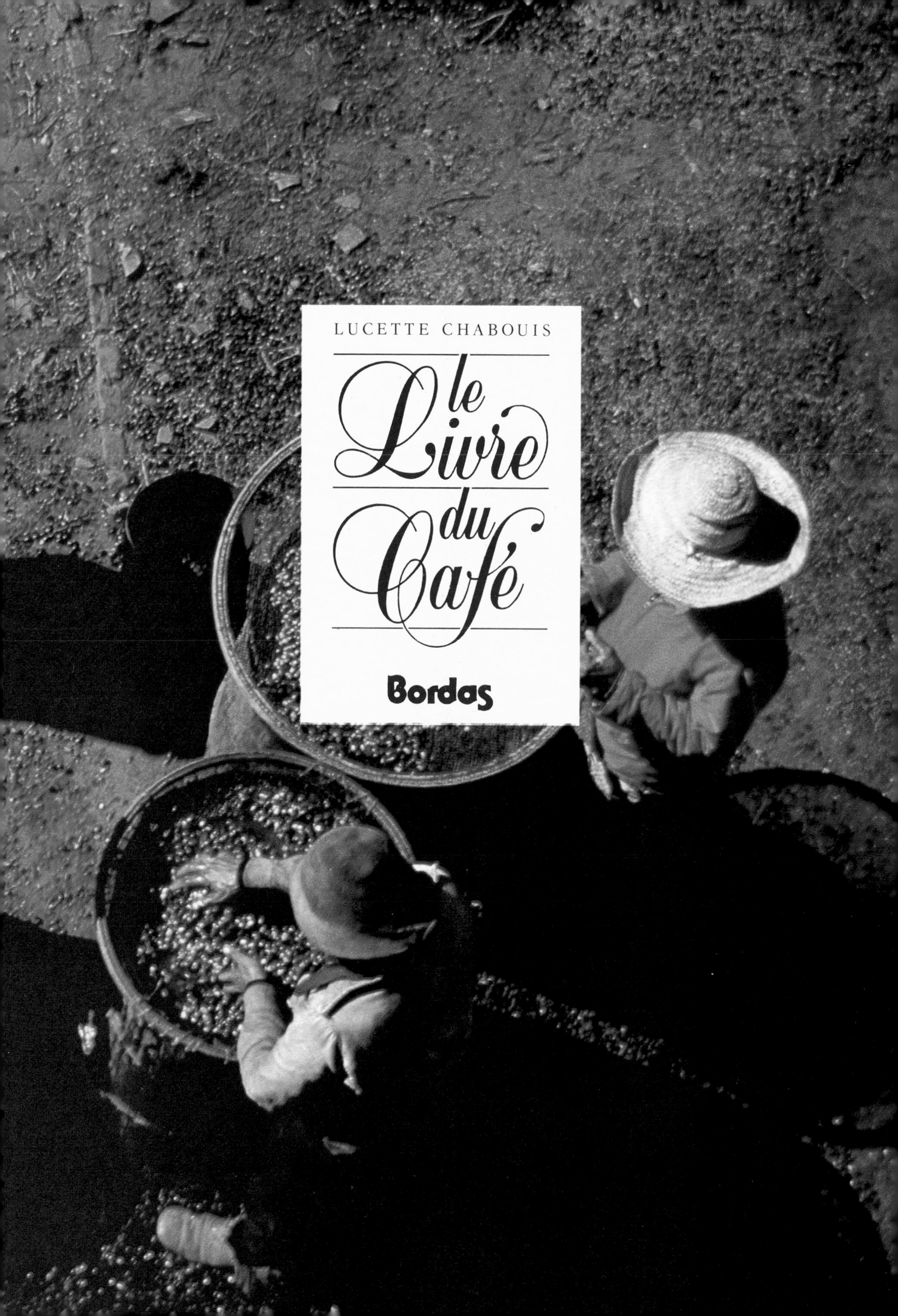

LUCETTE CHABOUIS

le Livre du Café

Bordas

À Francis

REMERCIEMENTS

Mes remerciements vont tout d'abord à mes fils, Claude et Daniel; puis à S. et M. Aleazer, M. Beuthin, A. Bomal, M. et S. Croze, E. Chabouis, L. Chami, B. Lecourt, F. Lemoine, M.B. Maison, J.P. Mathias, C. et S. Moins, et A. Salmon ainsi qu'aux:

BIBLIOTHÈQUES: à Paris: *Maison de Balzac, Pays nordiques.* à Dieppe: *CAC*
CAFÉS: *Le Florian, Le Quadri* (Venise). *Le Pedrocchi* (Padoue). *Le San Carlo* et le *Mulassano* (Turin). *Café Opéra* (Bergen). *La Pâtisserie Viennoise* (Paris).
CENTRES CULTURELS PARISIENS: allemand (*Goethe institute, Institut historique*) - américain - autrichien - de Grande Bretagne - hollandais - japonais - danois et suédois.
JOURNAUX: *The Spectator* et *The Tatler* (à Londres).
MUSÉES: à Londres: *The British Museum. The Museum of London. The Wellcome institute for the history of medeci.* A Luxembourg: *Le*

Musée de l'Etat. Le Musée des Arts industriels et populaires. A Zurich: *Le musée Jacobs Suchard.*
OFFICES DE TOURISME: à Amsterdam, au Luxembourg, à la nouvelle-Orléans: *The historic New-Orléans collection*, à Paris: les offices belge et italien, turc, et l'*Alliance France-URSS.* à Zurich (*Jacobs Suchard*)
ORGANISMES SPÉCIALISÉS: l'O.I.C. et l'A.S.I.C à Paris; l'O.F.I.D.A à Berne; le Comité du Café à Oslo (Mr Alf Kramer).
TORRÉFACTEURS: Monsieur Pommier (à Dieppe) et Monsieur Verlet (à Paris), et à la maison Mélior.

Que tous ceux qui ont bien voulu me prêter leur concours dans mes recherches veuillent bien trouver ici mes remerciements les plus vifs pour leur collaboration si précieuse. Je pense non seulement aux nombreux centres culturels, musées, bibliothèques, cafés, journaux, offices de tourisme, organismes spécialisés français et étrangers que j'ai mis à contribution et qui ont bien voulu répondre à mes demandes les plus exigeantes mais aussi à ceux qui, autour de moi, m'ont ouvert leurs bibliothèques, procuré documents de toute nature, fourni des traductions, souvent inédites, permis de photographier leurs installations ou leurs collections personnelles, et aidé à la présentation de cet ouvrage.

Achevé d'imprimer en août 1988 par :
GEA, via Assab 1, Milan, Italie

Dépôt légal septembre 1988
© Bordas S.A., Paris, 1988
ISBN 2-04-012970-7

SOMMAIRE

Il est difficile d'imaginer que le café était encore inconnu dans notre pays, au temps des mousquetaires et que le jeune roi Louis XIV attendit sa vingt-sixième année pour déguster la première tasse de ce breuvage exotique qui venait, croyait-on, d'Arabie. En peu de temps, le café allait cependant être universellement connu comme en témoigne cette liste relevée par monsieur D. Bois dans son ouvrage: *Les Plantes alimentaires chez tous les peuples et à travers les âges* et par Mr. W. Kaufman: *La Cuisine au café;* allemand: *kaffee;* anglais: *coffee;* arabe: *ban;* chinois: *kia-fey;* danois: *kaffe;* égyptien: *elive;* espagnol: *cafeo;* finnois: *kahvi;* grec: *kafpe;* hollandais: *koffy ou koffe;* hongrois: *kavp;* italien: *caffè;* malais: *kawa;* persan: *tochem keweh;* polonais: *kawa;* portugais: *cafp;* roumain: *cafea;* russe: *kophe;* suédois: *kaffe;* tamoul: *capie cottay;* telinga: *chaabe;* turc: *kahwe oghadji.*

Nous avons essayé de raconter avec la plus grande exactitude les aventures qui ont conduit le café du fond de l'Arabie jusqu'à Constantinople, puis dans toute l'Europe et enfin, dans le monde entier.

Nous avons relaté les grandes étapes de ce voyage étonnant qui a permis à un breuvage presque inconnu au XVe siècle, sauf de quelques tribus isolées du Yémen, d'arriver jusqu'à nous malgré toutes les difficultés qu'il a rencontrées dans chaque pays où il apparaissait. Nous avons donc suivi le café autour du monde et, à travers le temps, dans la plupart des endroits où il s'est finalement imposé mais en nous attardant cependant à Paris où le café est roi; en effet le nombre, la qualité et l'originalité des établissements où l'on offre cette boisson sont un des attraits les plus appréciés de la capitale.

Nous pouvons remarquer que le mot café désigne tout à la fois la plante tropicale, la graine qu'elle fournit, la boisson qu'on en tire et les établissements où on le boit. Encore faudrait-il ajouter que le terme de café est souvent accompagné de certaines précisions car l'amateur peut rechercher un café corsé et très fort ou lui préférer un goût léger et finement arômatisé, qualités qui varient avec l'espèce cultivée ou même la variété, avec la composition du mélange effectué et avec la région du globe où il a été cultivé.

On peut remarquer aussi que le buveur de café se contente rarement de commander simplement "un café" mais qu'il accompagne souvent cette demande d'une indication qui lui semble indispensable, telle que "du café... bien sérré, ou allongé, crême, bien chaud, glacé, sans sucre, très sucré"... mais aussi "décaféiné, américain, à la turque ou à l'italienne", etc. Car il entend bien tirer le plus grand plaisir de la tasse de café qu'il s'apprête à déguster.

CI-CONTRE: *Deux petits "noirs" à Washington.* © *International Coffee Organisation.*
page 1: Le rite du café à Francfort.
page 2-3: Tri des "cerises" de café au Brésil (État de Paraná).

Une Découverte au Moyen Orient

orsqu'en 1555 deux Syriens, Schems et Hekem, sûrement inspirés par le dieu du commerce, ouvrent les premiers cafés de l'ancienne Constantinople personne ne peut imaginer qu'une entreprise si modeste va bientôt bouleverser profondément la vie de la très puissante capitale turque. En effet, dès l'apparition de la nouvelle boisson préparée par ces étrangers une série d'évènements des plus extraordinaires se produit, touchant peu à peu la population toute entière.

La plupart de ceux qui viennent goûter le breuvage odorant servi chez les deux Syriens sont conquis à la fois par la nouveauté de l'arôme qui s'en dégage et par la sensation de bien-être qu'ils ressentent dès qu'ils ont bu quelques gorgées de cette étonnante préparation. De plus, ils éprouvent tant de plaisir à fréquenter ces fameuses maisons de café qu'ils y passent la majeure partie de la journée, abandonnant toutes leurs anciennes habitudes, au grand scandale des réfractaires à cette nouvelle mode. Il semble qu'un vent de folie se soit soudain abattu sur la ville atteignant toutes les classes sociales car ceux qui repoussent le café s'opposent violemment, en toute occasion, à ceux qui l'ont adopté sans réserve. D'ailleurs, lorsque l'on tentera de priver ces derniers de leur "drogue", ils se défendront si farouchement que finalement ils gagneront la partie. Chose curieuse, des faits analogues se sont produits dans la plupart des pays à l'arrivée du café, accompagnant celle-ci d'un climat passioné, et presque partout les amateurs de cette boisson doivent lutter pour faire triompher leur choix.

Mais revenons à Constantinople, ou plutôt à Istambul, puisque la capitale a changé de nom depuis l'arrivée des Turcs. En cette année 1555, donc, la capitale de Soliman le magnifique est une belle et riche cité. La ville aux sept collines, est couverte de nombreux monuments dont les plus anciens datent des Romains alors que les nouveaux portent tous la signature de Sinan, le fameux architecte à la mode.

Grilleur de café au Proche-Orient. © *Phot. The Bettmann Archive, New York.*

Arbre du Café deſsiné en Arabie ſur le Naturel

Depuis cinq ans déjà, le maître dirige la construction de la grande mosquée qu'on élève à la gloire de Dieu sur l'ordre de Soliman. Cet édifice somptueux bâti sur la deuxième colline portera le nom du sultan et dominera toute la Corne d'Or mais il faudra encore deux ans d'efforts pour terminer la mosquée Suleymaniye qui sera alors le plus beau des édifices jamais construits par Sinan jusqu'à ce jour. La plus grande activité règne tout autour de ce vaste chantier mais il en est de même dans bien d'autres quartiers car la ville abrite maintenant plus d'un demi-million d'habitants sans compter la foule d'étrangers qui accompagne chaque convoi.

En effet, les principales voies terrestres et maritimes d'Europe et du Moyen-Orient passent toutes par la grande capitale, trait d'union entre deux continents par lequel transitent tous les produits de l'Occident et de l'Asie.

Aux portes de la ville, les chariots remplis de bois, de grains et de cuir venant des pays nordiques ou d'Europe centrale se mêlent aux troupeaux de moutons et de chevaux et croisent les caravanes chargées de précieuses marchandises exotiques tandis que sur les quais, les bateaux marseillais, gênois, vénitiens ou cairotes voisinent avec les caboteurs de la mer Noire et ceux de la mer Égée. Marins, chameliers, marchands, pélerins et aventuriers fourmillent dans toutes les rues car certains sont là pour acheter, vendre ou échanger les denrées les plus diverses tandis que d'autres attendent l'arrivée d'un transport ou d'un navire pour entreprendre leurs transactions. Ceux qui ont déjà réglé leurs affaires s'accordent une halte bien méritée avant de prendre la route du retour et flânent

Titre et planche botanique extraits du Voyage de l'Arabie heureuse, 1785. © Phot. Musée de la Marine.

à travers la capitale comme le font aussi tous ceux qui sont venus dans cette cité aux mille ressources pour simplement y tenter leur chance.

C'est ainsi que Schems et Hekem ont quitté un beau jour leurs villes de Damas et de Alep pour suivre la grande caravane et sont arrivés à l'ancienne Constantinople, la tête pleine de projets. Ils ont l'heureuse idée d'installer dans le quartier de Takhtacalah, deux petites maisons de café à l'image de celles qui existent dans leur lointaine patrie et ils se mettent à vendre du café préparé à la mode de leur pays.

Leurs premiers clients, des érudits et des poètes du voisinage auxquels se mêlent volontiers quelques joueurs de tric-trac, sont littéralement séduits par cette nouvelle boisson. La renommée de celle-ci franchit rapidement les limites du quartier et, très vite, les deux commerçants connaissent un succès qui dépasse, de très loin, leurs plus folles es-

pérances. On fait la queue chez eux, du matin au soir, pour goûter ce breuvage étonnant, si parfumé, qui rend euphoriques les plus taciturnes et qui réveille les plus apathiques. Les deux seuls cafés publics de Constantinople ne désemplissent pas et bientôt ils ne suffisent plus à contenter les amateurs, chaque jour plus nombreux.

Aussi quelques boutiquiers turcs, bien avisés se hâtent-ils d'ouvrir en différents en-

Paysans des environs de Gaza préparant le café: au Moyen-Orient, les grains de café sont encore souvent pilés à la main. © Phot. Bonfils - The Bettmann Archive, New York.

droits de la ville plusieurs maisons de café copiées sur celles des deux Syriens. Leur initiative est accueillie avec joie par une foule impatiente de goûter le breuvage à la mode. Dès lors étudiants, professeurs, solliciteurs attendant l'heure des audiences, officiers du sérail, pachas et même seigneurs de la Porte, tous rejoignent la grande confrérie des buveurs de café.

Les nouveaux établissements connaissent eux aussi une vogue extraordinaire mais ce succès même attire l'attention des autorités. En haut lieu on commence à s'inquiéter car on a remarqué le comportement bizarre de ceux qui fréquentent toutes ces maisons de café: au lieu d'attendre l'heure de la prière en bavardant ou en somnolant près du porche des mosquées comme ils l'avaient toujours fait, les hommes passent maintenant la plus grande partie de la journée à déguster du café brûlant ou, faute de mieux, à humer l'arôme de celui du voisin... Imans et officiers des mosquées critiquent vivement ces mauvaises manières et n'attendent qu'un prétexte pour pouvoir intervenir.

Or, un jour, un fait sans précédent se produit: quelques fidèles, trop occupés sans doute à parler ou à rêver en dégustant la fameuse boisson, oublient l'heure de la prière. C'est un affreux scandale. Les muftis se déchaînent, ils tempêtent, ils menacent et prédisent les plus grands malheurs aux buveurs de café mais tous leurs efforts restent vains. Malgré la violence de leurs discours, les maisons de café sont plus florissantes que jamais.

Les dévôts se démènent et multiplient à leur tour les attaques contre le café. Ils finissent par accuser celui-ci d'être une espèce de charbon, or disent-ils "tout ce qui a rapport au charbon est défendu par la Loi." Ils en appellent au grand mufti et celui-ci déclare sans hésiter que le café est en effet défendu par la loi de Mahomet. Tous les établissements publics sont donc fermés et cette boisson est désormais interdite à Constantinople. On espère ainsi ramener à la raison les malheureux égarés. Mais tous résistent et dès lors, commerçants et consommateurs s'unissent de leur mieux pour tourner la loi. Rien ne rebute les fraudeurs, pas plus les amendes que les châtiments corporels et cependant ceux qui sont pris en flagrant délit de désobéissance reçoivent quatre-vingt cinq coups de baton. Devant cette obstination imprévue et très inquiétante le gouverneur adopte une nouvelle attitude et il fait habilement marche arrière pour calmer les esprits dangereusement échauffés. Dans un premier temps, les officiers de police font donc savoir à la population qu'il est à nouveau permis de boire du café... mais seulement chez soi, toutes portes closes ou à la rigueur à l'abri des regards dans quelques arrière-boutiques. Puis ils laissent les cafés publics rouvrir leurs portes, les uns après les autres, jusqu'au jour où un nouveau mufti annonce officiellement que "boire du café n'est pas défendu par la Loi."

Le grand vizir favorise même l'installation de nouveaux cafés publics mais dorénavant tous ces établissements, les anciens comme les nouveaux, sont lourdement taxés et ils doivent verser chaque jour au trésor une forte redevance tandis que le prix très modique de la tasse de café demeure inchangé pour les consommateurs, à la plus grande satisfaction de ces derniers bien entendu. Les hommes retrouvent donc avec joie leurs habitudes un moment contrariées... (évidemment cela ne concernait pas les femmes...) Au plaisir de déguster librement leur boisson favorite s'ajoute celui, non moins grand, de pouvoir palabrer à nouveau, interminablement, avec des amis.

12

COFFEE MERCHANTS.

STEPHENS & HOPKINS BRISTOL.

THE CUSTOM OF EXTRACTING A DRINK FROM COFFEE BERRIES IS LOST IN ANTIQUITY. THE BEST COFFEE IN THE WORLD IS PRODUCED ON THE MOUNTAINS OF YEMEN, FROM BEING EXPORTED FROM MOCHA IT IS CALLED MOCHA COFFEE. THE ENGRAVING SHOWS A PARTY OF MERCHANTS

LES ROUTES AU DÉPART DE CONSTANTINOPLE

La capitale était le point de rencontre des nombreuses routes terrestres et maritimes. Les routes étaient formées d'une piste pavée, de trois pieds de large, réservée aux cavaliers et de chemins de terre très larges, situés de chaque côté, sur lesquels marchaient les troupeaux et les piétons. Elles servaient principalement aux déplacements des armées turques et aux caravanes de chameaux et de mulets. On n'y voyait peu de charrettes (les arabas) sauf sur quelques itinéraires européens.

Les caravanes comprenaient généralement 500 bêtes, parfois 1000 ou 2000 mais quelque fois à peine 300. Elles sillonnaient le territoire turc dans toutes les directions et cer-taines venaient de très loin. Par exemple: celle de Pologne, souvent accompagnée de chevaux et de mulets, arrivait chaque mois. Celle de Raguse, qui comprenait aussi des chevaux et des chariots, s'annonçait une fois par an. Et chaque année, 6 caravanes au moins partaient de Perse, 3 ou 4 d'Alep et 2 de Bassora pour rejoindre Constantinople. Toutes faisaient des arrêts aux étapes dans des relais appelés caravansérails où bêtes et hommes trouvaient le gîte et le couvert et où les marchandises transportées se trouvaient, la nuit, à l'abri des pillards. Les routes maritimes permettaient des déplacements plus rapides, grâce au cabotage le long des côtes de la mer Égée, de la mer Noire et de Marmara.

PAGE PRÉCÉDENTE: *vendeur de café dans les rues en Turquie, 1707.* © Phot. Musée de la Marine. CI-DESSUS: *caravane de marchands de café.* © BBC.

RELATION D'UNE EXPÉDITION AU SUD YÉMEN

"C'est à Betelfagui que se font les achats de café pour toute la Turquie. Les marchands d'Égypte et de Turquie y viennent pour ce sujet et en chargent une grande quantité sur des chameaux qui en portent chacun deux bales (probablement balle ou ballot) pesant chacune environ 270 livres, jusqu'à un petit port de la mer Rouge qui est à peu près à la hauteur de cette ville, à dix lieues d'éloignement. Là, ils le chargent sur de petits bâtiments qui le transportent 60 lieues plus avant dans le golfe à un autre port plus considérable: Gedda (Djeddah) ou Zieden le port de La Mecque. De ce port, encore rechargé sur des vaisseaux turcs qui le portent jusqu'à Suez dernier port au fond de la mer Rouge, d'où étant encore chargé sur des chameaux et transporté en Égypte et dans les autres provinces de l'Empire turc par les différentes caravanes ou par la mer Méditerranée et c'est enfin de l'Égypte que tout le café qui s'est consommé en France a été tiré et jusqu'au temps que nous avons entrepris le voyage d'Arabie."

Extrait de: Voyage de l'Arabie heureuse de Jean de la Roque, 1786.

Le port et la ville de Moka, gravure du XXᵉ siècle. © Phot. Jacobs Suchard Museum.

Et puis, dans ces lieux hospitaliers, ils font souvent d'étonnantes rencontres avec des inconnus venus se reposer après bien des jours et des nuits passés sur des pistes difficiles ou sur les flots incertains. Ces voyageurs fréquentent volontiers les maisons de café. Ils y parlent facilement de leurs aventures et échangent toutes sortes de nouvelles en buvant du café qu'ils apprécient tout autant que les habitants de la capitale. Beaucoup d'entre eux le connaissent depuis plus longtemps que les Turcs et il ne faut pas les prier longtemps pour qu'ils racontent avec force détails comment le café a fait son apparition dans leur pays. Ce sont des assauts d'éloquence pour convaincre les sceptiques, encouragés par une assistance jamais lasse d'écouter de belles histoires, même si elles ne sont pas inédites pour tous. C'est ainsi que l'on entend la fameuse aventure arrivée au cheik Omar du Yémen qui, parait-il, fut le premier à connaître le café.

Cela se passait au milieu du XIIIe siècle, vers 1258. Cet homme, réfugié dans la montagne pour échapper à des persécutions religieuses, en parcourait sans cesse tous les sentiers pour chercher sa maigre pitance. Un jour, ne trouvant plus rien à ramasser, il dut marcher beaucoup plus loin que d'habitude et il aperçut tout à coup devant lui un arbuste couvert de fruits rouges, qu'il ne connaissait pas. Complètement épuisé et à demi mort de faim, il cueillit une poignée de ces fruits, les fit bouillir dans le peu d'eau qui lui restait et but cette décoction. A sa grande surprise, il ressentit immédiatement un réel bien-être et sa fatigue disparut. Plus tard, il put vérifier à nouveau le pouvoir de cette plante mystérieuse sur un groupe de pèlerins égarés, affamés et fort mal en point qu'il croisa sur son chemin. Ne pouvant donner à manger à tous ces pauvres gens, il leur prépara la fameuse boisson qui lui avait permis de survivre le jour de sa grande détresse. Les malheureux retrouvant mystérieusement des forces purent reprendre leur route.

Quelque temps après, le cheik rentra en grâce auprès du sultan de Moka et lui rapporta l'étrange aventure qui lui était arrivée dans la montagne. Il lui parla longuement de la plante inconnue qu'il avait rencontrée par hasard et à laquelle il devait d'être encore de ce monde. Par la suite, on éleva un couvent sur le lieu même où l'arbuste avait été découvert par le cheik Omar pour célébrer les vertus étonnantes du café, cette plante qui avait sauvé le saint homme.

Des applaudissements saluent la fin de ce récit édifiant et récompensent le talent du conteur mais un de ses compagnons n'est pas d'accord avec ce qu'on vient d'entendre et tient à raconter à tous comment le café fut découvert en réalité par un jeune berger du pays et non par le cheik Omar. Ce garçon, parait-il, menait chaque jour, ses chèvres dans la montagne. Un soir, en revenant au village, il fut très étonné de les voir gambader dans le plus grand désordre, en montrant une excitation inhabituelle. Malgré tous ses efforts, il ne put parvenir à les calmer et très inquiet, dès son retour au village, il se rendit au monastère voisin pour raconter sa mésaventure. Il parla ainsi de certaines petites boules rouges que ces chèvres avaient broutées dans la journée et qu'il n'avait jamais vues jusqu'alors. A ce récit le prieur fut si intrigué qu'il partit à la recherche de ces fruits inconnus. Il les goûta et les trouva insipides; puis il eut l'idée de les faire bouillir dans un peu d'eau et il obtint une décoction à la saveur étrange... qu'il donna à boire à ses moines. Ceux-ci ne purent s'endormir...

Le conteur ajoute qu'à partir de ce jour, le prieur leur en faisait prendre un peu chaque soir, pour les tenir éveillés pendant les offices de nuit. On s'amuse, on applaudit, on compare les deux récits et qu'importe s'ils diffèrent un peu. Les deux étrangers parlent bien et ont convaincu l'auditoire: dans leur pays on connaît en effet le café depuis très longtemps. Et tout le monde tombe d'accord pour dire que le café est une chose merveilleuse car il donne des forces et empêche de dormir ceux qui ont besoin de veiller.

Les pélerins qui sont allés à La Mecque ajoutent leur mot, là-bas tout le monde boit du café depuis une centaine d'années, boit ou plutôt buvait du café, avant la prière du soir. Hélas, ajoutent-ils, depuis l'interdiction du Grand Soliman lui-même toutes les maisons de café sont fermées et c'est un grand malheur car on ne peut imaginer la vie sans café. On espère qu'elles pourront rouvrir un jour comme cela s'est déjà produit à Constantinople.

Chose curieuse personne n'a parlé du café pendant des centaines d'années et l'on ne mentionne son existence qu'à partir du XIIIᵉ siècle, au Yémen, comme le racontent si bien les voyageurs étrangers dans les maisons de café turques. Le café avait vraisemblablement traversé la mer Rouge quelques siècles auparavant à la suite des invasions éthiopiennes en Arabie du Sud.

Quelques tribus l'utilisaient sans doute mais l'usage ne s'en était pas vraiment répandu car la patrie du café n'est pas l'Arabie, comme pourrait le faire croire son nom savant: c'est l'Abyssinie où il pousse encore de nos jours à l'état sauvage, entre mille et deux mille mètres d'altitude. Dans ces régions, les graines de cet arbuste étaient utilisées depuis des temps immémoriaux. On leur avait reconnu très tôt certaines vertus médicales mais on les employait surtout pour préparer une sorte de farine, faite soit avec la pulpe seule soit avec les fruits entiers, cueillis encore verts puis séchés, torréfiés et écrasés. Cette poudre, mêlée à du beurre, servait ensuite à confectionner des bouillies salées ou des galettes de voyage. On consomme encore dans le pays les graines cuites à l'eau additionnées de beurre et de sel et l'on y boit des infusions de feuilles.

Bizarrement, cette plante resta très longtemps inconnue en dehors de ses frontières naturelles et même les plus proches voisins de l'Abyssinie semblent en avoir presque ignoré l'existence pendant des siècles. Cela s'explique peut-être par l'isolement géographique de ce pays dû à son relief tourmenté et que les caravanes évitaient, mais aussi parce qu'on ne savait sans doute pas encore préparer la fameuse boisson qui devait avoir tant de succès, plus tard. Toujours est-il qu'il faudra attendre longtemps avant que l'arbuste aux fruits rouges ne fasse parler de lui. Ainsi, le célèbre médecin arabe Ebn Beithar qui traverse la Syrie et l'Afrique du nord au début du XIIIᵉ siècle ne fait aucune allusion au café dans la relation de son voyage, ce qui laisse supposer que cette plante et la boisson qu'on en tire étaient encore inconnues dans ces régions, à cette époque.

De même, les croisés qui ont chevauché à travers la Syrie et la Palestine pendant plus de cent cinquante ans et qui se sont aventurés jusqu'en Égypte n'en parlent pas dans leurs chroniques. Ils ont rencontré de nombreuses plantes acclimatées depuis longtemps sur les rives de la Méditerranée par les arabes, comme le safran, le riz ou le coton. Ils ont retrouvé également la plupart des arbres fruitiers qui leurs étaient familiers mais ils ont

remarqué cependant en Palestine une certaine orange amère qu'ils ne connaissaient pas encore: le bigaradier. Ils ont été séduits par la giroflée parfumée, originaire des îles grecques et l'ont rapportée chez eux. Ils ont découvert des fleurs nouvelles en Galilée, en Samarie et en Judée et dès lors anémones, renoncules, jacinthes, tulipes, nigelle de Damas, lilas de Perse, coquelicot, pavot, laurier rose, lis blanc et réséda odorant sont venus orner des jardins bien éloignés du Moyen-Orient.

Mais ces hommes qui, loin de chez eux, prirent goût au luxe et au bien-être, qui s'intéressèrent à des fleurs et des fruits inconnus dans leurs pays, qui découvrirent les brocarts somptueux et les riches tapis d'orient, qui s'habituèrent aux salles de bains et aux soins de corps ne connurent pas le café, sinon ils en auraient assurément fait don à l'Occident au retour de leurs longues expéditions.

Un peu plus tard, en 1325, le grand voyageur Ibn Batouta qui commence son célèbre périple en sillonnant tout le Moyen-Orient pendant sept ans et qui décrit minutieusement tout ce qui est nouveau pour lui: paysages, coutumes ou plantes, ne cite pas le café. Cependant, il parle d'abondance des splendeurs d'Alexandrie et de celles du Caire, des riches terres de la vallée du Nil, de l'imposant château fort construit par les croisés à Kerach en Jordanie actuelle, des palmeraies et des fruitiers de la région de Zebid, des maisons de briques à plusieurs étages de Sana la capitale du Yémen et du climat tempéré

En Turquie, les femmes ne sortent pas pour boire du café! © Phot. Jacobs Suchard Museum. CI-CONTRE: *A la mauresque. © Phot. Sirot-Angel.*

de cette ville et même des calebasses posées sur la tête des femmes du Niger mais il ne mentionne nulle part la présence du café, pas même à Aden. Il remarque seulement que dans cette ville il n'y a ni grains, ni arbre, ni eau douce . Il est vrai que le café ne pouvait pousser sur la côte au climat brûlant car les pluies nécessaires à cette plante n'arrosent que les terres situées au-dessus de cinq cents mètres d'altitude.

Il faudra attendre une centaine d'années après le passage d'Ibn Batouta à Aden pour que cette citée connaisse le café. Il fut introduit dans la ville par un mufti nommé Gemaleddin Abou Abdallah qui mourut en 1470. Au cours d'un voyage en Perse, ce digne homme avait rencontré plusieurs compatriotes qui, tous, lui avaient vanté les qualités surprenantes d'une certaine infusion en usage chez les Persans. Sur le moment il ne prêta pas grande attention à ce qu'on lui rapportait à propos de ce breuvage étonnant, mais de retour à Aden, se sentant très faible, il repense à ce fameux café qu'on lui avait tant vanté et il se risque à en boire... Non seulement il retrouve sa vigueur mais il constate que "le café rend la tête légère, égaie l'esprit et retarde le sommeil" comme il se plaît à le dire autour de lui. Voulant faire profiter son entourage des bienfaits de cette merveilleuse boisson, il en fait goûter un soir aux derviches et aux mahométans assemblés pour les prières de la nuit. A la surprise générale, tous veillent très longuement et sans ressentir la moindre fatigue.

Cette histoire fait le tour d'Aden et de nombreux curieux se proposent pour vérifier le pouvoir mystérieux de ce fameux café. Tous ceux qui tentent l'expérience: hommes de loi, artisans ou voyageurs, tous se déclarent convaincus, le café empêche bien de dormir et ne fatigue pas, tout au contraire. Aussitôt toute la ville adopte le café, de jour comme de nuit, et abandonne complètement le *Kât* (ou *Qât - Catha edulis* - dont les feuilles ont des propriétés légèrement stupéfiantes et dont on fait encore un grand usage au Yémen et sur la côte des Somalies) qui jusque là était la grande panacée pour faire oublier, aux pauvres hommes, tous leurs soucis.

D'Aden, le café passe à La Mecque quelques années plus tard et ce sont encore les derviches qui, les premiers, en font usage. Les habitants de La Mecque trouvent ce nouveau breuvage très à leur goût et s'entichent des maisons où on le prépare. Ils les fréquentent avec assiduité et y passent le temps bien agréablement à jouer au mancalah, à chanter, à danser ou à faire de la musique, toutes choses qui indisposent fort quelques mahométans très religieux, comme on peut s'en douter.

Un soir en sortant de la mosquée, le nouveau gouverneur de La Mecque, originaire du Soudan d'Égypte, fut très surpris de voir un groupe de fidèles, apparement bien éveillés et même un peu excités, se préparer à passer la nuit en prières sans paraître redouter cette épreuve, le moins du monde. N'ayant pas encore entendu parler du café et de ses vertus, il crut que ces hommes avaient bu du vin et les fit arrêter sur le champ. Les suspects se disculpèrent aisément, néanmoins le gouverneur termina cette affaire en faisant condamner le café comme contraire à la religion musulmane. Apprenant cela, le sultan

---

EN HAUT: *un café arabe, à Tunis.* © *Phot. Sirot-Angel.* EN BAS: *le café de l'après-midi en Égypte.* © *The Bettmann Archive, New York.*

d'Égypte son maître, mécontent, donna l'ordre à son représentant trop zélé de réhabiliter le café. Ce qui fut fait sans tarder. Les maisons de café retrouvèrent donc leur clientèle... du moins pour quelque temps.

En effet, en 1524, le juge en chef de la ville fait à nouveau fermer tous ces établissements car des désordres s'y produisent parfois, mais le café lui-même n'est pas défendu et il est toujours permis d'en boire chez soi. Ensuite les choses se passent comme d'habitude, c'est à dire que les cafés publics rouvrent les uns après les autres et tout recommence comme avant l'interdit jusqu'au jour, où, comme nous le savons, le grand Soliman qui gouverne tout le pays envoie l'ordre de ne plus boire de café à La Mecque sur la demande d'une dame de sa cour, très dévôte et à qui il ne voulait pas déplaire... Triste affaire pour La Mecque bien sûr, mais le café était passé depuis longtemps à Médine et il y connaissait un grand succès.

Il était également arrivé au Caire et là encore il avait fait sa première apparition dans le quartier des derviches car ces derniers, originaires du Yémen, avaient conservé l'habitude de boire du café les nuits de prière. Ces soir-là, on en préparait un grand pot et le supérieur servait, lui-même, une tasse de café à chacun des derviches. Bien entendu les dévôts s'étaient empressés de les imiter puis des curieux, appartenant à toutes les couches de la société, avaient suivi leur exemple et le café était vite devenu aussi populaire au Caire, qu'à Aden, La Mecque ou Médine. Cependant en 1523 les choses s'étaient gâtées entre partisans et détracteurs du café et deux clans s'étaient formés, mais malgré les efforts acharnés de ceux qui étaient hostiles au café, la plus grande partie de la population resta fidèle à cette boisson.

D'Égypte, le café était tout naturellement passé en Syrie, à Damas et Alep où s'arrêtait la grande caravane venant du Caire. A Damas, en particulier, il existait de nombreux cafés bien décorés et fréquentés surtout par les étudiants. De Damas et de Alep, il était reparti vers Constantinople grâce à nos deux fameux voyageurs, Schems et Hekem que nous avons rencontrés à leur arrivée dans la grande capitale turque.

Après avoir tourné d'un pays à l'autre pendant un siècle environ, le café s'installe définitivement dans cette partie du monde. Nous le retrouvons donc à Constantinople où il a fini par triompher d'une manière éclatante. Plus tard, le thé partagera cette popularité. De nos jours café et thé cohabitent toujours. Il en est de même en Iran et en Afrique du Nord, à l'exception du Maroc où le thé est nettement préféré.

On a pris l'habitude de boire du café à n'importe quelle heure du jour et aussi d'en offrir une tasse en signe de bienvenue à toute personne qui se présente dans une maison. Cela fait partie des usages et dans ces conditions il n'est pas rare de boire jusqu'à vingt tasses de café par jour, tasses minuscules, il est vrai. Il existe d'ailleurs un moyen très simple de faire comprendre à un visiteur qu'il est importun: il suffit de ne pas lui servir de café et lorsque cela se produit chez un vizir à l'égard d'un envoyé étranger, on peut interpréter ce geste comme une rupture diplomatique et toute explication est inutile. Dans les grandes maisons on réserve toujours près des salles de réception une petite pièce où quelques jeunes serviteurs spécialement affectés au service du café préparent cette boisson suivant le goût du maître. A l'époque on le prend sans sucre, bien chaud et très fort.

Au sérail et chez les grands, on lui ajoute souvent une petite goutte d'essence d'ambre, pour le parfumer. Certains amateurs préfèrent le faire bouillir avec un ou deux clous de girofle ou bien un peu d'anis des Indes (le *Badian hindi* des Turcs) ou même quelques graines de cardamome (le *cacouleh* ou graine du *Cardamomum*), pour en augmenter l'amertume.

Constantinople reçoit tout son café par Alexandrie où les graines portent le nom de *Kawa* qui devient *Kahweh* chez les Turcs et qui donnera: café. Mais Alexandrie n'est qu'un intermédiaire car les seuls producteurs de café sont l'Abyssinie et surtout l'Arabie. En effet, depuis la fin du XVe siècle, les Arabes de la région de Moka se sont mis à cultiver

Du Yémen à l'Europe

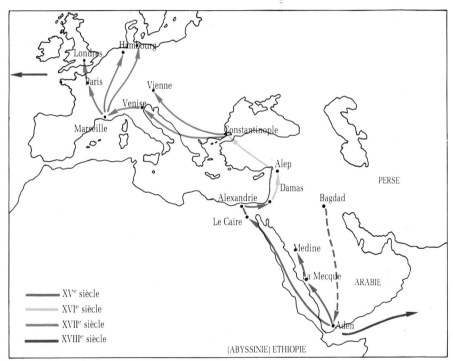

cette plante précieuse et le café qui a retrouvé au Sud-Yémen les mêmes conditions de vie qu'en Abyssinie, son pays d'origine, s'y plaît tellement que dès le début du XVIe siècle, on peut déjà parler des belles plantations de Moka. L'Abyssinie et l'Arabie veillent jalousement sur le commerce du café et se réservent le droit exclusif de le transporter jusqu'au fond de la mer Rouge. Il est ensuite expédié à Alexandrie par caravanes et de là il est distribué aux pays consommateurs.

Tout est désormais bien réglé entre acheteurs et vendeurs et moins de cent ans après son arrivée à Constantinople, le café repart vers de nouvelles aventures qui cette fois le conduiront jusqu'au bout du monde.

L'Infiltration de l'Occident

'immense périple du café commence par Venise. Rien d'étonnant à cela si l'on pense aux liens étroits qui unissent la capitale de l'empire turc à la ville des Doges, depuis plusieurs siècles. En effet, bien avant l'arrivée des Turcs et alors que la ville porte encore le nom de Constantinople, Venise la toute puissante y envoie ses galères pour venir en aide à Alexis Comnène, l'empereur chrétien assiégé par les Normands. Après la victoire des Vénitiens, d'importants privilèges commerciaux leur sont concédés en gage de reconnaissance.

En 1126 le fils d'Alexis, Jean II, que l'on a appelé le Bon Roi Jean leur attribue tout un quartier de la ville situé près de Galata, un des plus beaux emplacements de la Corne d'Or. Sur cette bande de rivage, les Vénitiens aménagent plusieurs quais de débarquement pour leurs navires. Ils construisent aussi de nombreuses maisons d'habitations, des boutiques, des entrepôts et même trois ou quatre églises. Ils sont vraiment chez eux et pendant plusieurs siècles ils se livreront à un commerce très actif avec Venise. Même la prise de Constantinople par les Turcs en 1453, n'interrompra pas les échanges avec l'Occident. Les Vénitiens de Constantinople ont, bien entendu, assisté à l'arrivée du café dans la ville. Comme les Turcs, ils ont pris l'habitude d'en boire en toute occasion.

C'est ainsi que Pietro della Valle, écrivant de Constantinople en 1615, parle de cette boisson noire, rafraîchissante en été et qui l'hiver réchauffe le corps en restant pourtant toujours la même. Il dit aussi qu'on l'avale très chaude comme si elle sortait du feu, lentement et par petites gorgées, en compagnie de ses amis car il n'y a pas de réunion sans cette boisson que les Turcs appellent "cahué" et qu'ils préparent avec la graine ou le fruit d'un arbre poussant en Arabie. Il ajoute: "Quand je serai sur le point de m'en retourner j'en porterai avec moi et ferai connaître à l'Italie ce simple qui lui est peut-être inconnu jusqu'à présent".

En Grèce, le verre d'eau fraiche accompagne le café. © *International Coffee Organisation.*

Mais, contrairement à ce que pensait Pietro della Valle, le café était connu en Italie car un médecin de Padoue, Prosper Alpin, directeur du plus ancien jardin des plantes d'Europe avait déjà parlé de cette plante qu'il découvrit pendant une mission à l'étranger. En effet, vers 1580, ce grand botaniste avait accompagné en Égypte un consul de la République de Venise.

Au cours d'un séjour de trois ou quatre ans dans ce pays, il en avait étudié la flore et s'était intéressé tout particulièrement au café dont il fit la première description botanique dans son ouvrage *Des plantes d'Égypte* (Venise, 1592). "J'ai vu cet arbre au Caire, dit-il, dans le jardin d'un turc nommé Ali Bey et je donne ici la figure d'un des rameaux. C'est celui-là même qui produit ce fruit si commun en Égypte auquel on donne le nom de *bon* ou *ban*. On en fait, parmi les Arabes et les Égyptiens, une espèce de décoction qui est fort en usage et qu'ils boivent au lieu de vin. On la vend dans des lieux publics... On appelle cette boisson *caoua*".

Cependant cinquante ans plus tard, en 1638, un autre médecin italien de passage au Caire signale que l'arbre décrit par son compatriote n'existe plus mais qu'en revanche il a bien vu deux ou trois mille maisons de café dans cette ville. C'est dire à quel point cette boisson y avait conquis droit de cité. De retour au pays Pietro della Valle avait mis son projet à exécution mais d'autres voyageurs en avaient peut-être fait autant car en 1640 le café connaît déjà un véritable succès en Italie, succès qui ne fera que croître avec le temps.

Le café avait eu quelques opposants à ses débuts car certains le considéraient comme une boisson païenne. Mais depuis que le pape Clément VIII, ayant bu une tasse de ce liquide noir et odorant, avait déclaré "ce breuvage diabolique est si délicieux qu'il serait honteux que les incroyants seuls en profitent, aussi le baptisons-nous pour qu'à présent et à jamais il soit une vraie boisson chrétienne", tout le monde l'adopta sans réserve.

En 1671, Fauste Nauron, maronite, syrien d'origine et professeur de langues orientales à Rome, écrit, en latin, le premier traité sur le café et la même année des extraits de son ouvrage paraissent dans un journal italien, car tout le pays s'intéresse à cette plante. On peut dire qu'en 1683 le café était bien connu à Venise et dès le début du XVIIIe siècle de très beaux établissements se sont installés dans les meilleurs endroits de la ville. Sur la place Saint-Marc, on trouve deux des plus grands cafés de l'époque: le Florian et le Quadri. En 1756, Venise comptait 206 boutiques de café, mais depuis longtemps cette boisson avait envahi la terre ferme et de nombreuses villes italiennes possédaient, elles-aussi, des cafés dont certains existent encore. Leur nombre n'a fait que croître jusqu'à nos jours. En 1760 il y en avait quarante à Padoue. Et plus tard, Pedrocchi allait fonder au centre de la ville le plus célèbre d'entre eux. En 1760 également, un Grec installé à Rome avait ouvert une maison que, tout naturellement, il avait appelée le café Grec, nom qu'il porte toujours. Le Rosati, un des plus connus, ouvrira plus tard. A Florence, ce sera le Giubbe Rosse. A Naples, le café d'Europe.

Mais on ne peut compter, tant ils sont nombreux, tous les petits débits où les Italiens viennent prendre un café noir, le matin, debout au comptoir. Ce petit café, le "caffè ristretto" presque du concentré remplit à peine la moitié de la tasse, on le boit très sucré. Il est bien plus fort que notre "express" qui, lui, correspond au "caffè lungo", c'est-à-dire au café étendu d'eau, allongé comme nous disons et que les Italiens boivent tiède ou même froid. Ils apprécient aussi le "cappucino-chiaro", assez clair et le "caffè macchiato", que nous appelons café-crème. En revanche ils n'en prennent pas après les repas comme le font généralement les Français.

L'Italie qui a adopté le café immédiatement et presque sans réserve, n'a cessé de perfectionner la façon de préparer ce délicieux breuvage pour en tirer tout son arôme en utilisant des cafetières de plus en plus perfectionnées. La première machine a été brevetée

en 1901 par Luggi Bezzera. Actuellement le célèbre "expresso" connaît une renommée mondiale et le plus modeste établissement public peut offrir à sa clientèle un café à la mode italienne, très fort, "serré" comme l'on dit.

Les Italiens sont de véritables amoureux du café, bien qu'ils n'arrivent qu'au 13e rang sur la liste des consommateurs, ce qui représente une moyenne de 4 kilogrammes par an et par habitant, c'est-à-dire environ deux tasses par jour. Mais ce sont eux, peut-être, qui l'apprécient le plus au monde et qui savent le mieux faire partager le plaisir qu'il donne. Nulle part ailleurs, à notre connaissance, il n'existe de coutume aussi charitable et aussi élégante que celle qui se pratique à Naples dans certains cafés, où il n'est pas rare de voir un homme entrer, payer quatre cafés mais ne boire qu'une tasse et sortir, laissant les trois autres à la disposition de quelques pauvres passants désargentés qui pourront ainsi, grâce à cette générosité anonyme, commencer la journée par le petit café traditionnel indispensable à chaque Italien qui se respecte.

A Venise, un plateau de rêve. © *International Coffee Organisation.*

QUELQUES CAFÉS ITALIENS

A Venise

A tout seigneur, tout honneur... Parmi les cafés qui ont vu le jour depuis plus de 200 ans dans cette ville et dont certains reçoivent encore, comme à leurs plus beaux jours, la visite des personnalités les plus diverses comme celle de nombreux curieux et des véritables amateurs de café qui veulent rêver un peu dans un décor plein de souvernirs, il faut citer le *Florian*. Ouvert en 1720 par Floriano Francesconi, sur la place Saint-Marc, il est peut-être le plus vieux et le plus célèbre de tous. Les clients prirent rapidement l'habitude de le désigner par le nom de son propriétaire et il devint le fameux Florian. A ses débuts, cette maison ne possédait que deux

salles décorées simplement, puis on en ajouta deux autres. Le café demeura dans cet état jusqu'à la moitié du XIXe siècle. En 1858, il fut totalement remanié par Lodovico Cadorin qui fit ouvrir deux salons latéraux décorés par des peintres renommés et aménagés par les meilleurs artisans de la ville.

LE FLORIAN devint très vite le rendez-vous d'une clientèle hétéroclite et l'on y rencontrait aussi bien des nobles Vénétiens, des ambassadeurs et des commerçants étrangers que des hommes d'état, des dames de haut-rang ou des gens du commun. Il fut le principal point de distribution d'un des premiers journaux de la ville: la *Gazetta Veneta*, fon-

devanture et salle du Florian. à Venise. © *International Coffee Organisation.*

dée le 6 février 1760. Le Florian continua, même après la chute de la République de Venise, à être le centre de la vie publique et politique de la ville. C'est encore autour de ses tables que se réunirent les révolutionnaires de 1848. Les artistes et les écrivains de toutes les nationalités fréquentèrent ses salons et, parmi les plus célèbres, on retient les noms de: Guardi, Casanova, Canova, Parini, Mme de Staël, Chateaubriand, Goethe, Musset, Lord Byron, Dickens, Proust, d'Annunzio, Rubinstein, etc. Rien n'a été modifié depuis cette époque et tout ceux qui maintenant viennent y passer un moment peuvent encore respirer l'atmosphère du passé.

LE QUADRI s'ouvre en 1725 également sur la place Saint-Marc avec une vue magnifique sur la cathédrale. Il eut tout de suite une grande renommée et devint le café le plus aristocratique de la ville. Ses salles magnifiquement décorées accueillirent les plus grandes personnalités et parmi tant d'autres: Byron, Lizt, Wagner, puis plus tard, le Shah de Perse, Léopold de Belgique, le Duc et la Duchesse de Windsor, Braque, Rouault, Hemingway, Cocteau, Dalì, Sartre, le président Pompidou... et tous les artistes les plus connus du monde entier..

A Turin

LE CAFÈ MULASSANO – Le premier café portant ce nom fut ouvert dans la deuxième moitié du XIXe siècle, au 3 de la Via Nizza, par Amilcare Mulassano, propriétaire de la distillerie Sacco, renommée surtout par sa menthe spéciale. Quelques années plus tard, au tout début du XXe siècle, l'établissement se transporta Place Castello 15.

L'installation du nouveau Caffè Mulassano fut confiée à Antonio Vandone de Turin qui s'occupa entièrement des travaux exté-

rieurs et de l'aménagement intérieur jusque dans les moindres détails. L'ébéniste Enrico Pezza, le sculpteur sur bois Capisano et le doreur Cazzaniga furent requis pour créer toutes les boiseries. Les frères Catella de Turin fournirent les marbres et les onyx les plus colorés et la maison Fumagali et Amério proccura les motifs en bronze, à décor floral, qui ornent les murs. Enfin, un superbe plafond à caissons, capitonné de cuir de Madère, fut réalisé par le célèbre Patacchi.

L'atmosphère particulièrement raffinée qui imprègne ce lieu précieux et très accueillant

fut appréciée, dès l'ouverture, par les notables de la maison royale et les gens du théâtre voisin, le Regio, rejoints un peu plus tard par le monde du cinéma et de la télévision.

LE SAN CARLO – Depuis le 20 avril 1837, le fameux Caffè San Carlo occupe le même emplacement qu'aujourd'hui.

Il a remplacé un ancien café installé au même endroit dans la maison Priero et qui se signalait aux passants par l'enseigne "Piazza d'Arme". Un acte de justice du 24 octobre 1836 avait décrété la fermeture de ce débit mais peu de temps après, la réouverture du café fut envisagée. Une lettre officielle du Se-

devanture et (ci-contre) bar du cafè Mulassano. © Phot. Arbook.

crétaire d'État datée du 2 janvier 1837 autorisait le sieur Vittorio Vassato, fils de Bernardo, à devenir propriétaire de ce commerce, à condition qu'il se soumette à certaines obligations comme ne pas frauder sur la marchandise, ne pas permettre de discussions portant atteinte à la morale, à la religion ou au clergé, ne pas donner le mauvais exemple à son entourage et exiger une tenue correcte de ses serveurs et de ses clients, etc. Vittorio Vassato ayant promis de se conformer à cette réglementation stricte put ouvrir son café, le 20 avril 1837 et le nomma Caffè San Carlo.

A Padoue

LE PEDROCCHI. Parmi les premiers cafés ouverts à Padoue l'un deux, situé dans l'actuelle rue Oberdan, était tenu par Pietro Zigno (mort en 1747), qui employait comme gestionnaire, un certain Francesco Pedrocchi. Le 1er janvier 1772, ce même Francesco Pedrocchi ouvre un restaurant dans une maison dont il est propriétaire et s'y fait une bonne clientèle. Après sa mort, en 1799, Antonio son fils, lui succède. En 1813, celui-ci fait l'acquisition d'un local proche qui avait été transformé en marché aux poissons et petit à petit, naît dans son esprit inventif l'ambitieux projet de construire un café inédit ressemblant plus à un café viennois qu'à une taverne vénitienne. En 1815, son restaurant très apprécié reçoit Stendhal, de passage à Padoue, qui parle ensuite de "l'excellent restaurateur Pedrocchi, le meilleur d'Italie et presque égal à ceux de Paris". Vers les années 1813 et 1814, de grands travaux d'urbanisme transforment la ville et le centre se déplace car de nombreux habitants aisés adoptent les nouveaux quartiers à la mode. Antonio Pedrocchi (1776-1852) qui est un commerçant génial, comme on l'a dit souvent depuis, sut profiter d'un ensemble de circonstances exceptionnelles. En effet, il avait la grande chance de posséder déjà dans cette partie de la ville où l'on trouvait les grands hôtels et les universités la vieille maison de ses débuts et les bâtiments adjacents qu'il avait acquis plus tard; il avait également hérité du matériel de son père, Francesco.

Enfin, il fit appel à un architecte plein de talent, Giuseppe Jappeli (1785-1852) pour lui demander de construire un café comme on n'en avait encore jamais vu ni à Padoue, ni ailleurs. Et, en 1831, le 9 juin, s'ouvre le fameux établissement Pedrocchi qui n'avait encore que des salles au rez-de-chaussée. Peu à peu, il se transforma et s'agrandit. En 1838, sa façade s'orna d'une arcade, qu'elle allait conserver une centaine d'années. Deux autres seront ajoutées en 1924.

On a laissé entendre qu'Antonio Pedrocchi avait eu la bonne fortune de découvrir sous sa maison les ruines d'une très vieille église renfermant de précieux trésors.

En 1842, des salles sont inaugurées dans les étages supérieurs. Un grand escalier conduisait aux différentes pièces, ornées de tableaux, d'œuvres d'art et de cartes. L'une d'elle, octogonale était décorée de fresques; une autre assez petite était circulaire et la grande salle Rossini pouvait servir de salle de bal. On passait d'une salle verte à une salle rouge, puis à une salle blanche (celle qui al-

Une salle du San Carlo, à Turin. © Phot. Marc Walter.

lait recevoir le 8 février 1848 un obus autrichien dans l'un de ses murs). La fameuse salle rouge accueillit cette année-là, la quatrième réunion des savants italiens. Elle renferme la Table des professeurs devant laquelle siègèrent les maîtres les plus illustres du monde scientifique.

Pendant tout le XIXe siècle, ce sera le lieu de rencontre priviliégié des artistes, des poètes, des écrivains et des patriotes.

A Rome

LE CAFÉ GREC. L'ancien café, situé dans la Via Condotti, près de la Piazza di Spagna, a été fondé en 1760 par un Grec (d'où son nom). Il a été fréquenté par des hôtes célèbres étrangers: Goethe, Thorvaldsen, Gogol, Schopenhauer, Mendelssohn, Berlioz, Stendhal, Taine, Beaudelaire, Wagner, Listz, Paul Bourget, Anatole France... Y passèrent aussi des artistes italiens: Leopardi, Salvatore Di Giacomo, D'Annunzio, Pascarella, Nino Costa, C. Maccari,... etc.

Mendelssohn, écrivant à son père en 1830, fait la description des lieux et de la clientèle dans les termes suivants: "C'est une petite pièce sombre, large d'environ huit pas, on peut fumer du tabac d'un côté de la pièce mais pas de l'autre... Ils sont là assis sur les bancs, coiffés de larges chapeaux, le cou et les joues, voire le visage entier, recouvert de poils, faisant une fumée épouvantable et se balançant des quolibets. La partie du visage qui n'est pas recouverte de barbe l'est par des lunettes et c'est ainsi qu'ils boivent du café en parlant du Titien et du Pordenone."

LE ROSATI, sur la Piazza del Popolo, est le lieu de prédilection de tous les intellectuels: écrivains, poètes, artistes de théâtre, de cinéma et de télévision... Il joue un rôle très important dans la vie mondaine et culturelle de la ville: on y présente les livres nouveaux et des expositions, on y organise des débats et l'on y voit défiler toutes les personnalités en vue car c'est un rite obligatoire d'aller déguster un café au Rosati lorsqu'on est de passage à Rome. Le grand chic est de s'y trouver entre dix-neuf heures et vingt et une heures.

Depuis 65 ans, trois générations se sont succédées à la tête de cette maison que Carlo Rosati et ses frères Enrico et Bernardo ont ouvert à l'ombre de l'Obélisque de Ramsès II. Carlo Rosati avait émigré en Suisse dans sa jeunesse et à son retour en Italie, ce maître pâtissier crée un premier Rosati en 1911, Via Venetto, avant de s'installer Piazza del Popolo, en 1922. Cette place était un carrefour particulièrement fréquenté par la nouvelle bourgeoisie de l'époque qui habitait les quartiers excentriques. En 1924, un service de transports en commun s'arrêtait à proximité du Rosati chez qui l'on trouvait les meilleures pâtisseries de la ville, les marrons glacés les plus moelleux, des sorbets à la pistache et bien d'autres douceurs en dehors du chocolat et du café. En 1954, Lamberto Rosati, fils de Carlo, et le comte Francesco Pepoli contribuèrent à faire du Rosati le véritable rendez-vous de la vie artistique et littéraire de la ville. Lamberto qui était pharmacien abandonna son activité fin 1953 pour se consacrer entièrement à la direction du Rosati.

Aujourd'hui les successeurs de Carlo Rosati tiennent à conserver à leur maison son rôle de salon mondain qu'il a toujours eu et le considèrent comme un lieu historique de Rome, auquel il ne faut pas toucher. Mais leur ambition est de faire connaître la maison Rosati ailleurs dans le monde et leur projet est de voir s'ouvrir dans les années quatre-vingt-dix de semblables établissements en Angleterre, au Japon, aux U.S.A. et au Canada.

Le café Greco, *par Yves Brayer, 1933, Paris, coll. part.* © *Phot. Giraudon.*

C'est encore Pietro della Valle qui apporte le café à Marseille en 1644. La Chambre de commerce de la ville s'intéresse tout de suite à cette nouveauté alors que ses habitants y accordent très peu d'attention.

Seuls, quelques rares initiés apprécient cette boisson exotique et parmi ceux-ci, Monsieur de la Roque qui a rapporté de ses voyages au Moyen-Orient, non seulement le goût du café, mais aussi le matériel utilisé en Turquie pour le préparer comme il se doit. Il en boit couramment avec des amis "ayant pris, comme lui, les manières du Levant" comme le dit son fils Jean de la Roque, auteur du *Voyage de l'Arabie heureuse*.

Peu à peu, l'habitude de déguster du café se répand parmi les gens de mer et chez les commerçants qui font venir les grains de Turquie ou d'Égypte mais le café ne remporte pas un franc succès comme en Italie, puisqu'il lui faudra vingt ans pour gagner Lyon et

Paris. En effet, on ne parle guère de lui jusqu'au jour où il reçoit une sorte de consécration officielle à Versailles, en 1664, lorsque le jeune souverain Louis XIV se fait servir une tasse de café en grande pompe, devant toute la cour, lors d'une brillante réception. Peut-être veut-il marquer ainsi l'intérêt qu'il porte aux nouvelles compagnies de commerce créées par son premier ministre Colbert: la Compagnie des Indes orientales et la Compagnie des Indes occidentales, toutes deux destinées à transporter les denrées exotiques achetées ou cultivées dans des terres lointaines.

En réalité, le Roi ne sera jamais un véritable amateur de café et il préfère, le matin, prendre une soupe ou un bouillon et au goûter une tasse de chocolat épais, fort à la mode depuis peu. Cependant grâce à son geste spectaculaire on "découvre" le café, du moins à Versailles car à Paris il est encore presque ignoré lorsqu'en 1669 Soliman Aga l'envoyé

Un débit de café au début du XVIIIe siècle; à gauche, un employé fait griller du café (un peu vivement) dans un cylindre à manivelle. © Phot. The Bettmann Archive, New York.
PAGE SUIVANTE: *un homme de qualité buvant son café, au XVIIIe siècle.*
© Phot. Roger-Viollet.

du sultan, arrive à la cour du roi Louis XIV chargé d'une mission diplomatique. L'ambassadeur ottoman éblouit toute la capitale par le faste de sa maison et les "turqueries" font fureur. Selon la coutume de son pays, Soliman Aga accueille tous ceux qui lui rendent visite en leur offrant une tasse de café et de nombreuses personnes se familiarisent ainsi avec cette boisson car l'ambassadeur arrivé le 5 juillet n'obtient audience auprès du Roi que le 5 décembre. Il repart en mai suivant et pendant son séjour de dix mois, bien des curieux de Paris et de la cour auront défilé chez lui, s'accoutumant à boire du café à tout moment de la journée; mais, contrairement à la mode turque, ils l'aiment sucré.

Après le départ de Soliman, ils continuent à en faire une grande consommation et le commandent en grains, à Marseille. En effet, Marseille en reçoit maintenant directement de Moka. Devenue seul fournisseur de café de toute l'Europe occidentale, elle le restera jusqu'en 1710.

En 1672 Pascal, un Arménien ouvre enfin le premier débit de café public parisien à la foire St-Germain. Il se fait aider par un compatriote, un certain Maliban, et par un jeune Sicilien, Procopio, arrivé deux ans auparavant à Paris pour y chercher fortune et qui se contente, pour le moment, d'un modeste emploi chez Pascal. Celui-ci offre "l'arôme nouveau" pour deux sous et demi la tasse à tous ceux qui viennent faire leurs emplettes à la foire ou aux oisifs qui jouent à des jeux d'argent et aussi aux badauds qui se promènent en famille parmi les équilibristes, les montreurs de marionnettes, les prestidigitateurs et les dresseurs d'animaux qui font la joie des grands et des petits.

Puis Pascal quitte la foire St-Germain pour s'installer face au Pont-Neuf sur le quai de l'École, l'actuel quai du Louvre, dans une petite boutique où il propose son café à deux sous et demi la tasse, comme il le faisait à la foire. Mais la clientèle est rare et il ne tarde pas à faire faillite. Il part en Angleterre tenter sa chance, malheureusement il arrive trop tard car le premier café public de Londres vient justement d'ouvrir ses portes.

A Paris, on se désintéresse un peu du café, d'autant que certains médecins l'accusent de toutes sortes de méfaits; en particulier on dit qu'il rend les hommes stériles et même impuissants. De temps en temps le café refait parler de lui et l'on assiste à l'ouverture de quelques débits publics, mais aucun ne dure bien longtemps. Les propriétaires se succèdent sans arrêt.

Ainsi en 1675, Maliban qui avait fait ses débuts à la foire St-Germain avec Pascal, trois ans auparavant, ouvre sa propre maison de café au 28 de la rue de Buci. Il passe ensuite rue de Férou près de l'église St-Sulpice puis revient rue de Buci; mais il part bientôt pour la Hollande et confie son magasin à Grégoire son garçon et associé, Arménien comme lui. Ce dernier quitte la rue de Buci pour la rue Mazarine lorsque la jeune troupe des Comédiens français commence sa carrière dans les salons d'un très bel hôtel que Mansard à construit pour le marquis de Guénégaud, le prédécesseur de Colbert. Mais la troupe doit libérer cet endroit et Grégoire cède sa boutique à un Persan nommé Makara qui lui-même laissera son commerce à un Liègeois, Le Gantois.

A la même époque quelques petits commerçants, tous originaires de Méditerranée orientale, passent de maison en maison pour préparer du café à domicile. Certains réussissent à se faire une modeste clientèle d'habitués. L'un deux, le Caudiot, un Crétois,

parcourt courageusement les rues de la capitale, en boitillant, tout en transportant son matériel et même un petit fourneau. Il se contente de deux sols par gobelet et fournit le sucre. Plus tard, un autre marchand ambulant, Joseph le Levantin réussit à gagner assez d'argent pour ouvrir une modeste boutique près de Notre-Dame tandis qu'un Syrien de Alep, Étienne, qui a débuté bien chichement lui aussi sur le Pont-au-Change finit par s'installer rue St-André, face au pont St-Michel. La plupart de ces établissements sont assez mal fréquentés car l'on y vend aussi du vin et de la bière et les honnêtes gens hésitent à y entrer. Or, tout va brusquement changer avec l'entrée en scène du Sicilien Procopio Dei Coltelli qui attendait son heure depuis son arrivée à Paris en 1670. Il avait débarqué à l'âge de vingt ans et deux ans plus tard on le retrouvait à la foire St-Germain où il aidait Pascal et Maliban à vendre du café en plein vent, pour deux sols et demi la tasse.

Dès 1675, comme Maliban, il ouvre son propre débit de café et s'installe rue de Tournon. Il a le sens du commerce et ses affaires marchent bien. Quelques années plus tard, en 1684, il peut acheter trois petites maisons contiguës rue des Fossés St-Germain, l'actuelle rue de l'Ancienne comédie. Il les réunit en un seul établissement qui existe toujours au N°13 de la rue, sous l'enseigne de "Procope, le plus vieux café de Paris". L'emplacement était particulièrement bien choisi car juste en face, au N°14, se trouvait le Jeu de paume de l'Étoile très fréquenté tandis que l'arrière donnait sur le Jeu de boules de Malus, l'actuel passage du Commerce St-André.

L'ambitieux Procopio Dei Coltelli a une idée de génie: il va créer un nouveau type de café. Chez lui on sert sur des tables de marbre. Les murs sont ornés de tableaux, de tapisseries, de miroirs luxueux et les plus fines chandelles brûlent dans les lustres de cristal. Cette ambiance raffinée lui attire immédiatement la clientèle des habitués du Jeu de paume et du Jeu de boules voisins et celle de quelques philosophes du quartier.

Les dames de qualité n'osent pas se montrer chez le Sicilien mais elles font arrêter leur carosse devant sa porte et on leur sert le café dans la rue, provoquant bien des encombrements. Bientôt, le monde du théâtre se donne rendez-vous chez lui car la Comédie française est venue s'installer en face dans les locaux du Jeu de paume. Le gentilhomme Sicilien francise son nom et devient François Procope, le plus parisien des cafetiers qui mérite bien le titre de "créateur des cafés" décerné par la suite. Lorsque son fils Alexandre lui succède vers la fin du règne de Louis XIV, le "Procope" jouit toujours de la plus grande renommée; mais en une trentaine d'années il a fait école et Paris compte environ trois cents cafés publics dont beaucoup sont élégants et confortables.

En outre plusieurs salles saisonnières, luxueusement équipées, ouvrent leurs portes pendant les foires St-Germain et St-Laurent. C'est là qu'on voit apparaître, pour la première fois, de grandes cafétières d'argent et des chocolatières assorties. Ces maisons accueillent une foule de promeneurs qui viennent s'y reposer ou qui s'y donnent rendez-vous. Les dames se permettent d'y aller prendre une collation car dans ces établissements très raffinés on sert non seulement du fort bon café mais aussi du thé et du chocolat ainsi que des biscuits et des confitures. On y trouve même des liqueurs pour les messieurs. L'exemple de Paris est suivi par les grandes villes de France en particulier par Lyon, Toulouse et Bordeaux. De plus tous les soldats du roi, des armées de terre ou de mer, tous reçoivent une ration quotidienne de café qui devient vraiment la boisson officielle de la nation. Après cinquante ans d'hésitation et même de réticence, la France adopte le café; désormais rien ne pourra plus le détrôner. Il résistera à toutes les modes.

A Paris, dès la première moitié du XVIIIᵉ siècle, les débits de café ont détrôné les cabarets "à pot et à pinte". Esprits éclairés et bourgeois s'y côtoient. On y parle toujours de littérature et de beaux-arts, mais on commente plutôt les évènements du jour.

Déjà, Montesquieu écrivait en 1721: "Si j'étais souverain de ce pays, je fermerais les cafés car ceux qui fréquentent ces endroits s'y échauffent fâcheusement la cervelle...". Le cardinal Dubois, premier ministre, est sans doute de cet avis puisqu'il interdit les jeux et les discussions politiques dans les cafés, ce qui n'empêche ni les joueurs de continuer à se réunir ni les idées nouvelles de se répandre.

Le Procope, toujours le plus célèbre des cafés parisiens, compte parmi ses habitués le tragédien Crébillon, le philosophe d'Alembert, l'écrivain Fontenelle, le célèbre Voltaire et son ennemi Piron.

Diderot et Rousseau lui préfèrent cependant la Régence, située au Palais-Royal à l'époque, puis transférée en 1854 rue St-Honoré, coté sud de la place du Théatre français, l'actuelle place André Malraux. D'après Diderot, c'est "l'endroit du monde où l'on joue le mieux aux échecs". On y remarque également le Baron Grimm qui s'y montre à chacun de ses séjours à Paris et qui rencontre souvent là son grand ami Diderot. On y verra aussi l'américain Benjamin Franklin en mission à Paris pour négocier une alliance avec la France. A la Régence, il fait la connaissance du jeune Marquis de la Fayette avec qui il se lie d'amitié malgré la grande différence d'âge qui sépare les deux hommes; à l'é-

Marchandes de café sur le Pont-Neuf, en 1819. Les ponts de Paris furent longtemps de véritables petits centres commerciaux. © Phot. Musée Carnavalet.

poque la Fayette avait dix neuf ans et Franklin, soixante dix. En 1777 La Fayette s'embarquera pour l'Amérique, malgré la défense du roi et il mettra son épée au service des *insurgents*. Un peu plus tard, la Régence accueille un autre grand amateur d'échecs, le général Bonaparte qui vient régulièrement y faire une partie. Il a même une table réservée, qui existe encore de nos jours.

Chaque café a sa clientèle particulière; ainsi le café des Arts accueille surtout les artistes de l'opéra tandis que le café Bourette, tenu par une aimable "cafetière" auteur à ses heures, est le rendez-vous des poètes.

Pendant le règne de Louis XVI les cafés sont encore soumis à la sévère règlementation qu'ils ont connue sous Louis XV: leurs portes doivent être closes à neuf heures du soir en hiver, à dix heures en été. Il leur est défendu de servir à boire les dimanches et jours de fête à l'heure des offices religieux. Il leur est également interdit de laisser entrer les vagabonds, les mendiants, les femmes légères etc. Cependant, à la veille de la Révolution ces mesures s'assouplissent un peu au bénéfice des six ou sept cents cafés publics que compte maintenant la capitale.

Le nouveau Palais-Royal achevé en 1784 est le dernier endroit à la mode "avec ses cent quatre-vingt huit arcades éclairées chacune par un réverbère". Quelques établissements connaissent une grande vogue en particulier le café de Foy, le Caveau, le café des Italiens, le café de Chartres, le café Méchanique, le café des Aveugles... Les discours patriotiques remplacent les discussions littéraires d'hier, reléguées loin derrière les préoccupations du moment. On commente avec fièvre les évènements du jour à l'intérieur de ces établissements et dans les jardins. C'est ainsi que le 12 juillet 1789 un jeune avocat, Camille Desmoulins, monté sur un guéridon du café de Foy pour mieux haranguer la foule massée au Palais-Royal, appelle le peuple à prendre les armes pour venger le ministre Necker que Louis XVI vient de congédier.

La Bastille est prise, la Révolution est victorieuse, le roi est destitué et les hommes politiques s'affrontent dans les cafés qui connaissent une très grande activité. Les nouvellistes côtoient les espions de la police ainsi que les représentants du gouvernement et tous les partis, en particulier les Jacobins, y tiennent des réunions de jour comme de nuit. On y prépare la chûte des Girondins, on y conspire pour faire évader le roi prisonnier au Temple mais on y oublie parfois les graves problèmes du moment en compagnie des belles à la mode: Zulima, Papillon ou la Sultane... On se montre à la première terrasse de Paris que le café de Foy a installée sous ses sept arcades qui ont coûté la somme énorme de 500 000 livres.

Les miliciens s'arrêtent volontiers en passant et se font servir un café moka arrosé d'un petit verre d'alcool tandis que les habitués goûtent et comparent les dernières nouveautés telles que la crème de cannelle, le ratafia du Louvre, le beaume humain et même une liqueur à trois couleurs dite patriotique, évidemment. Non loin de là, au café Chinois, on chante des chansons républicaines tandis que Boulevard du Temple on voit naître l'ancêtre des cabarets: le café des Arts où l'on monte des spectacles. Peu à peu la fièvre révolutionnaire s'apaise et les esprits se calment.

LE PROCOPE

Au XVIIIᵉ siècle, l'établissement est de plus en plus fréquenté et on y colportait les épigrammes ainsi que les derniers potins relatifs aux rivalités des artistes, le cercle où se formaient les cabales, où s'affrontaient les critiques, où se faisaient et se défaisaient les réputations, où on échangeait des nouvelles: c'était le véritable journal parlé de Paris, un foyer de discussions, d'idées.

L'Encyclopédie est née ici d'une conversation entre Diderot et d'Alembert. Beaumarchais y attendit le 27 Avril 1784, l'accueil que le public allait faire à la première représentation du Mariage de Figaro qui se jouait à l'Odéon, pièce qui lui valut trois jours de prison. Quelques années plus tard, ce café fut le lieu de rencontre des révolutionnaires habitant le quartier: Danton, Marat, Legendre, Camille Desmoulins, Fabre d'Églantine. C'est d'ici que partirent les mots d'ordre pour les attaques des Tuileries des 20 juin et du 10 août 1792, peut-être aussi celui des massacres du mois de septembre suivant. On conte que le bonnet rouge fit là sa première apparition...

Au temps du romantisme, le café fut celui de Musset, George Sand, Théophile Gautier, Balzac, Gustave Planche, et plus près de nous, celui de Gambetta.

Le café Procope, vendu le 24 avril 1872 à la baronne Thénard ferma en 1890; il abrita alors un cercle artistique, un centre littéraire où se réunirent Verlaine, Paul Arène, Huysmans, Laurent Tailhade, Émile Goudeau... puis devint un restaurant végétarien. Il connut des fortunes diverses jusqu'à sa réouverture en 1952. D'après J. Hillairet, Dictionnaire historique des rues de Paris.

Salle du Procope aujourd'hui (© Phot. M.W.) et affiche annonçant sa réouverture, au début du siècle. L'affiche semble erronée: le Procope fut fondé en 1684.
© Phot. Musée de la Publicité.

Les cafés du Palais-Royal sont toujours très fréquentés mais leur clientèle a changé; au Conti, les habitués se livrent à de tranquilles parties d'échecs. Au Caveau, les anciens Fédérés sont remplacés par des courtiers qui y traitent leurs affaires tandis que le Valois, l'ancien quartier général des Feuillants, est devenu le lieu de rencontre des royalistes et des émigrés rentrés d'exil. En 1805, le célèbre café Lemblin ouvre ses portes. Un Piémontais venant des cuisines du Vatican y prépare un excellent café et parmi ses clients on rencontre surtout des généraux, des gens de lettres et des compositeurs de musique.

Puis la vogue du café subit une éclipse pendant plusieurs années car le blocus continental empêche les "fèves" des Antilles de parvenir jusqu'aux ports français et l'on doit se contenter de chicorée. Avec le retour des Bourbons sur le trône en 1815 et l'abrogation du Blocus continental, le commerce renaît. Les navires reprennent le chemin des entrepôts, les cafés redeviennent à la mode et les discussions politiques repartent de plus belle. Maintenant, ce sont les demi-soldes qui complotent. Ils tiennent leurs réunions le soir, au Lemblin en dégustant la Liqueur des Braves tandis que les journalistes s'y donnent rendez-vous dans la journée. La vogue du Palais-Royal diminue avec la fermeture des maisons de jeux et le départ des belles galantes. La plupart des anciens cafés à la mode sont abandonnés, seul le Véfour résiste.

Les nouveaux s'installent sur les Boulevards mais ce sont plutôt des sortes de clubs où l'on rencontre, mêlés aux artistes et aux écrivains, les grisettes en vogue et des personnages à la mode que l'on surnommera "dandys" en 1820, "gants jaunes" en 1830 et "lions" en 1840, tous oisifs et fortunés.

Les premiers cafés champêtres font leur apparition. Dans les jardins de l'Elysée, le Hameau de Chantilly tenu par le glacier Velloni fils accueille, de huit heures du matin à onze heures du soir, tous les fidèles. Pour vingt sous on a le droit d'entrer dans les salles de jeux, de danser dans les salons, de se balancer sous les arbres, d'admirer les feux d'artifice et de commander une consommation. Au Frescati, situé au coin de la rue Vivienne, les clients du Napolitain Garchi dégustent du café et des glaces sous les orangers et les acacias illuminés, tandis qu'au Tivoli, rue St-Lazare, on peut assister à des spectacles d'ombres chinoises et à des feux d'artifice; mais surtout on tourbillonne, à en perdre haleine, aux sons des orchestres qui jouent une toute nouvelle danse: la valse.

Sous le Second empire le Boulevard est toujours à la mode et auteurs et comédiens se donnent rendez-vous au café des Variétés; puis les écrivains vont rejoindre les sculpteurs et les peintres à Montmartre. La Butte accueille les Impressionnistes mais la bohême se retrouve aussi au café Momus ouvert en 1841 et où pour cinq sous on se partage, à trois ou quatre, une tasse de café accompagné d'un petit verre d'alcool, au 35 boulevard des Capucines. Les intellectuels fréquentent également cet établissement qui voit défiler toutes les célébrités de l'époque jusqu'au moment où ce local est vendu à un marchand de couleurs en 1861, avant d'être repris par le fameux *Journal des débats*; ce journal occupait déjà le premier étage depuis le début du siècle. Le premier numéro imprimé à cette adresse date du 3 pluviôse de l'An VIII (23 janvier 1800) et le dernier d'août 1944. Le Procope a cependant gardé la faveur des écrivains pendant toute cette époque. Un peu plus tard Gambetta client assidu y lance la mode de fumer la pipe en public. C'est une grande nouveauté: à l'époque on ne fumait pas dans ce genre d'établissement. Parmi les habitués, on voit souvent Verlaine qui mérite bien son surnom de prince des cafés car il fréquente également le Voltaire, le Fleurus et la Source. Tous ces établissements sont de véritables foyers littéraires qui ont chacun leur grand maître. Au début du XXe siècle, les hommes de lettres retournent à Montmartre puis ils reviennent sur la rive gauche et fréquentent tout particulièrement la Closerie des Lilas. Vers les années 1920, le quartier St-Germain connaît la grande vogue avec le Flore, les Deux-Magots et Lipp. Vingt-cinq ans plus tard les existentialistes en font leur quartier général tandis que les cafés de Montparnasse accueillent tous les personnages en vue des "années folles". Peintres, artistes, écrivains, poètes et hommes politiques se retrouvent tous au Dôme, à la Rotonde ou à la Coupole.

Depuis l'ouverture du premier café parisien digne de ce nom, la vogue des cafés n'a cessé de s'affirmer et leur nombre de croître régulièrement. En 1720, Paris comptait trois cent quatre vingts cafés, plus du double à la veille de la révolution et dépassait les trois mille en 1845. Il en abrite environ quinze mille actuellement. A toutes les époques, ces établissements ont été le reflet de la vie politique, sociale ou artistique du pays et tous ont joué un rôle important qu'ils se soient appelés clubs, guinguettes, cabarets, cafés-théâtres ou cafés-concerts. Ils sont demeurés des lieux de rencontre priviligiés et leurs terrasses attirent toujours des milliers de consommateurs.

Bien entendu les goûts ont changé, les coutumes aussi et nous sommes loin avec les "expresso" modernes, les cafés glacés ou les décaféinés, de la décoction préparée traditionnellement au Moyen-Orient alors que le café allait commencer ses voyages à travers le monde, mais le plaisir qu'il procure est resté le même.

CAFÉS CÉLÈBRES DU PALAIS-ROYAL

aux XVIIIe et XIXe siècles

Galerie de Montpensier

Aux N°7, 8, 9, 10, 11 et 12 (au rez-de-chaussée), LE CAFÉ CORAZZA créé en 1787. Quartier général des Jacobins il fut fréquenté par Barras, Talma, Bonaparte..... et disparut vers 1914. Au N°36 (au premier étage). LE CAFÉ DES MILLES COLONNES créé en 1802. Il possédait une trentaines de colonnes qui se reflétaient dans les glaces. Après les Cent-jours, il fut le rendez-vous des Royalistes et devint LE CAFÉ GUILLEMOT en 1850. Aux N°57, 58, 59, 60, LE CAFÉ DE FOY, créé vers 1700 au 46 actuel de la rue de Richelieu, fut transféré en 1784 sous les arcades du Palais-Royal. Le propriétaire avait seul le droit de vendre des boissons, glaces et limonades dans le jardin mais pas d'installer des tables - on servait sur des chaises. Un des plus célèbres établissements du quartier, il ne trouve cependant pas d'acheteur en 1863.

Galerie de Beaujolais

Aux N°79 à 82, LE CAFÉ DE CHARTRES, qui devint ensuite le restaurant dit le GRAND-VE-FOUR, fréquenté par Murat, l'explorateur Humboldt, Lamartine, Mac-Mahon et bien d'autres célébrités. Il s'agrandit en 1859 en englobant dans ses murs LE VERY installé aux N°83 à 86 depuis 1808. Aux N°89 à 92, LE CAFÉ DU CAVEAU, créé en 1784 où s'affrontèrent les partisans du musicien Gluck, soutenu par Marie-Antoinette, et ceux de l'Italien Piccinni. Aux N°100 à 102, LE CAFÉ LEMBLIN fondée en 1805 qui ferma définitivement en 1870. Au N°103, LE CAFÉ DES AVEUGLES, au

sous-sol du 103 et sous le Lemblin, créé pendant la Révolution et fréquenté en premier par les Sans-culottes. L'orchestre était composé de quatre musiciens aveugles qui, ainsi, ne pouvaient être temoins des scènes parfois très

légères qui se déroulaient dans les salles. Il ferma en 1867.

Galerie de Valois

Au N°113, LE CAFÉ FÉVRIER, au sous-sol, remplacé par le BOREL. Au-dessus se trouvait la maison de jeu, la plus courue de Paris. Au N°121, LE CAFÉ MECHANIQUE, créé en 1785, connut un grand succès car le service était fait uniquement par un système de monte-plats qui arrivaient au centre des tables, sans personnel visible. Il fit faillite pendant la Révolution.

Au N°156, LE CAFÉ VALOIS qui recevait les gardes du corps et les émigrés de même que les Mille-Colonnes et le Grand Véfour. Il ferma en 1841.

LES TIVOLIS Le premier, du 66 au 106 rue St-Lazare et au 27, rue de Clichy fut ouvert de 1792 à 1810. Il remplaça la Folie-Boutin qui s'étendait du 1 au 102 rue St Lazare. On y trouvait plusieurs pavillons dans un grand parc orné de ruines et de rochers. La Folie-Boutin avait été ouverte au public de 1773 à 1793. Boutin fut décapité en 1793 et sa Folie confisquée donna naissance au premier Tivoli, rendez-vous des Muscadins, des Incroyables et des Merveilleuses. Le deuxième, du 16 au 38 rue de Clichy fut dirigé par Ruggieri de 1811 à 1826; c'était l'ancienne Folie-Richelieu construite par le duc de Richelieu en 1730. Elle fut fréquentée par Louis XV et la marquise de Pompadour. Le troisième ou NOUVEAU TIVOLI ouvrit place Adolphe-Max, du 14 février 1826 au 3 juin 1840. Installé sur l'ancienne Folie-Bouxière, c'était un véritable Petit Trianon. On y vit le premier tir aux pigeons, importé d'Angleterre en 1831. Après la dernière grande fête donnée par les pro-

priétaires, ceux-ci furent autorisés à bâtir sur leur terrain.

Boulevard des Capucines

LE CAFÉ NAPOLITAIN en vogue vers 1900 remplaçait un café datant de Louis-Philippe.

LE CAFÉ DE LA PAIX et sa terrasse sont célèbres depuis sa création en 1861-1862.

LE GRAND CAFÉ où les frères Lumière donnèrent la première séance publique de cinéma dans le salon "indien" (déc. 1895) servit aussi à l'expérimentation (janv. 1896) des rayons X dus au Dr. Roentgen.

Boulevard Montmartre

AU N°6, LE CAFÉ MADRID, créé avant le mariage de Napoléon III, fut en vogue à partir de 1861. Clientèle de comédiens, de journalistes, d'écrivains: Gambetta, Baudelaire..... Jules Vallès et après 1872, Alphonse Allais, Willy....

Au N°9, LE CAFÉ DES VARIÉTÉS, fondé sous le Ier Empire, s'agrandit en 1831. Il devint le lieu de rendez-vous des comédiens, des auteurs, des journalistes, des chroniqueurs et des critiques. Il déclina à partir de 1870 au profit du café de Madrid. On y buvait surtout du café accompagné d'alcool et ces mélanges portaient les noms de *régal*, café suivi d'un petit verre d'alcool, de *gloria*, mélange de café et de rhum ou d'eau de vie (le gloria se préparait de même avec du thé sucré) ou de *crambabouli*, café flambé à l'eau de vie. Les établissements publics de la rive gauche commençaient à faire parler d'eux et étaient très fréquentés par des écrivains et des journalistes qui rédigeaient souvent leurs articles en déjeûnant d'un café-crême.

Boulevard Montparnasse

Au N°102, LA COUPOLE fut ouverte en 1927, à l'emplacement d'un ancien chantier de bois et de charbon, par deux anciens gérants du Dôme. Son décor 1930 est authentique et les piliers de la vaste brasserie ont été décorés par les peintres les plus célèbres du moment. L'ouverture fut marquée par une fête monstre où le champagne coula à flots jusqu'à cinq heures du matin. Dans la foule des invités, se trouvaient Foujita, Kisling, Vlaminck, Cocteau, Pierre Benoit, Henri Béraud et Blaise Cendrar. La Coupole fut un des premiers lieux de rendez-vous des Surréalistes et c'est au bar qu'eut lieu la rencontre d'Aragon et d'Elsa Triolet en 1928. Malgré la disparition de nombreux ateliers d'artistes dans le quartier, la Coupole connaît la même affluence et un succès qui dure depuis plus d'un demi-siècle.

Au N°105, LA ROTONDE fut ouverte en 1911. Elle dut une partie de son succès à son pro-

Intérieur d'un grand café parisien, par Bailly, 1815. © *Phot. Giraudon.*

prié taire, Libion, qui savait accueillir ses clients même peu fortunés. Avant la guerre de 1914 on y rencontrait Apollinaire, Picasso, Derain, Vlaminck, Matisse, A. Salmon, Max Jacob, Modigliani..... Agrandie et complètement transformée en 1923, elle perdit de son intêret pour les anciens et son "lent naufrage" commença. Elle disparut en 1958, remplacée par un cinéma.

Au N°108, LE DÔME fut ouvert en 1897, à la place d'un estaminet de chiffoniers et renové en 1923. Il fut très fréquenté par les écrivains et les artistes allemands, scandinaves et anglais avant 1914 ainsi que par certains révolutionnair russes: Lenine, Krassine, Trotsky... Après la guerre, les bohêmes américains l'adoptèrent.

Au N°171, LA CLOSERIE DES LILAS remplaça en 1803, une petite guinguette, ancien relais de diligence et reprit le nom du bal champêtre situé en face, au 39 de l'avenue de l'Observatoire. Ce fut d'abord un modeste café de quartier dont la terrasse ombragée par des platanes touffus a été, dès le début, fréquentée par des écrivains et des artistes. Puis le monde de l'édition les rejoignit et l'on peut dire que Montparnasse est né à cet endroit. La Closerie accueillit Ingres, Verlaine, Richepin, Jarry, Gide, Apollinaire, André Salmon, Picasso, Paul Fort qui y donnait ses "mardis" restés dans les mémoires, et de nombreux étrangers. Toutes les célébrités de l'époque furent des habitués de ce café. Il était

arrivé, en son temps à A. Salmon d'y dormir, Hemingway, lui, allait y travailler dans le calme. En novembre 1953 la Closerie fêtait son 150ᵉ anniversaire, mais l'établissement luxueux que nous connaissons n'a plus rien

de commun avec la guinguette de ses débuts. Déjà transformée en 1900, elle fut modernisée en 1925.

Boulevard St-Germain

Au N°151, LIPP, brasserie fondée après la guerre de 1870 par un Alsacien, Lippmann. Réputée depuis 1920 elle est fréquentée par toutes les personnalités.

Au N°170, LES DEUX-MAGOTS, doit son nom à l'enseigne d'un magasin de modes qui s'y était transporté en 1873 et qui fut remplacé par un bar, puis par le café actuel.

Au N°172, LE FLORE fut fondé à la fin du Second empire. Il fut fréquenté spécialement par Maurras en 1908, par Apollinaire et André Salmon en 1912. Après la libération, il devint le quartier général des existentialistes.

EN HAUT: *terrasse du café de la Rotonde. Il ne s'agit pas de l'établissement du Boulevard Montparnasse, très postérieur. Gravure de G. Opiz, Musée Carnavalet, Paris.* © *Phot. Giraudon.* EN BAS: *le café des comédiens, gravure anonyme.* © *Jacobs Suchard Museum.* CICONTRE: *frontispice d'une pétition des femmes contre le café.* © *BBC.*

Alors que le café s'installe définitivement en France, l'Angleterre au contraire se prépare à l'abandonner. Elle en a été, cependant, le plus gros consommateur de toute l'Europe pendant un demi-siècle. C'est à Oxford en 1650, que s'était ouvert le premier café public d'Angleterre à l'enseigne de l'Ange, dans la paroisse de St-Pierre, à l'est du comté. Il était tenu par Jacob, un Juif, qui connut un certain succès auprès de ses pratiques avec ce breuvage exotique au goût surprenant. Une plaque apposée sur la maison de la coopérative, près de l'université, indique l'endroit où se tenait le café de Jacob.

A la même époque un négociant, Edward, qui faisait du commerce avec le Moyen-Orient avait fait connaître cette boisson à Londres mais dans un cercle assez réduit d'amis et de clients. Il était revenu de l'un de ses voyages avec un Grec, qui savait préparer le café à la turque et, tout naturellement, il avait fait goûter cette nouveauté à ses proches et à ses voisins.

On raconte aussi qu'à cette époque, David Saunders avait ramené d'Italie un certain Pasque Rosea, un Arménien, qui préparait tous les matins du café pour le petit déjeuner de son maître. Or ce breuvage exotique qu'il offrait volontiers à son entourage attirait chaque jour de plus en plus de visiteurs matinaux. Devant cette situation qui devenait insupportable, Saunders, avec un sens aigu du commerce, imagina d'installer son serviteur dans une maison pour y faire du café et le vendre à tous les amateurs, ce qu'il fit avec grand succès. Le propriétaire, Bowman, nomme ce débit la "Rosée de Pâques" et orne la façade d'une enseigne sur laquelle il a fait peindre son propre portrait.

Deux ans après Oxford, c'est-à-dire en 1652, on voit s'ouvrir le premier café public de Londres dans la ruelle St-Michel, à Cornhill, mais on peut penser que cette affaire et celle d'Edward n'en font qu'une. Tout le monde apprécie ce fameux café qui stimule autant que l'alcool. Les médecins l'accueillent chaleureusement et le recommandent à leurs patients car ils lui reconnaissent toutes sortes de vertus: celle de guérir les ivrognes mais aussi, dit-on, celles de combattre la phtisie, l'hydropisie et même le scorbut.

L'Angleterre suit avec enthousiasme les conseils de la Faculté et le médicament miracle connaît une vogue extraordinaire. En quelques années, les cafés se multiplient dans la City et bien des clients viennent régulièrement y traiter leurs affaires et discuter des nouvelles. Ils restent fidèles à leurs habitudes même pendant la grande peste de 1664-1665, malgré les avertissement du Lord-maire qui dénonce le danger de se rendre dans les débits de boisson et les cafés où règne forcément la plus grande promiscuité.

Le grand incendie de Londres, de septembre 1666, détruit de nombreux cafés, mais ils sont très vite reconstruits ainsi que les autres maisons du quartier puisque "en moins de six ans, la City fut complètement relogée" (selon Reddaway).

L'ouverture de la seconde bourse royale en 1669 entraîne la création de nouveaux établissements ainsi que le révèlent les archives de plusieurs paroisses et l'existence de jetons spéciaux émis par les cafés jusqu'en 1672. Après cette date, ce type de pièce ne sera plus autorisé.

Mais le café se fait des ennemis et une pétition de 1673 vise à l'interdire car on lui reproche, comme au thé et au brandy, de compromettre la consommation des produits du pays tels que l'orge, le malt et le froment. La puissante organisation des brasseurs de bière craint de voir les Anglais délaisser cette boisson et multiplie les difficultés pour obliger les tenanciers des maisons de café à fermer leur boutique. De plus, les femmes s'en mêlent aussi (pétition des femmes contre le café en 1674) et accusent cette boisson de rendre leurs hommes aussi stériles que les déserts d'où proviennent ces graines. Le café est même traité de "Bouillon des Crétins" et de "Brouet des Idiots" par certains.

Devant toutes ces attaques quelques cafetiers renoncent à lutter davantage, mais d'autres ne se laissent pas intimider et résistent à toutes les pressions. Encouragés par leur exemple, plusieurs cafés nouveaux s'ouvrent dans le quartier des théâtres pour le grand plaisir des beaux esprits et des mondains. Ceux-ci passent désormais le plus clair de leur temps dans ces établissements et deviennent de véritables "piliers de café" comme l'on dit. Ils y parlent des romans à la mode, des nouvelles pièces de théâtre, des artistes en renom, des œuvres étrangères et tout particulièrement de celles de deux Français très appréciés de ce côté de la Manche: Racine et Boileau. Ils y traitent également leurs affaires.

Les cafés installés autour de la bourse royale, près du tribunal, des postes et des douanes attirent une clientèle nombreuse et variée car on peut y entendre toutes sortes de nouvelles, ce qui est très appréciable à une époque où ni le courrier, ni la presse ne sont vraiment organisés bien que les secrétaires d'état se soient réservés le monopole des informations de 1666 à mai 1674.

En 1675, Charles II condamne les cafés à être supprimés car ils sont accusés d'être à l'origine des rumeurs scandaleuses qui courent sur le roi et sur ses ministres. Cette décision soulève un tollé général et, devant l'agitation provoquée par cette proclamation, le gouvernement revient sur cette mesure trop impopulaire. Onze jours plus tard - battant une sorte de record - Charles II publie un second édit permettant aux cafés de rouvrir. Cependant on les surveille de près et en 1676 puis en 1678 les secrétaires d'État poursuivent certains auteurs de bulletins séditieux ou diffamatoires écrits dans quelques cafés. A cette époque plusieurs cafetiers furent également arrêtés pour avoir diffusé des fausses nouvelles.

Le bureau central des postes s'établit en 1678 dans Lombard street et à partir de 1679, plusieurs cafés des environs se retrouvent chargés de la distribution du courrier et des journaux par l'organisme officiel. Certains sont aussi désignés pour recueillir les lettres écrites les jours de congé afin qu'elles puissent être levées et distribuées en temps voulu, grâce à ce que le bureau appelle la "poste d'un sou". Le bureau central annonce cette création dans *la Gazette de Londres* (du 29 mars au 2 avril 1583), sous le N° 1882. Le N°1992 du même journal (du 18 au 22 décembre 1684), signale que la "poste d'un sou" de Saint Paul se tient dans le café du Royal Bagnio, dans Newgate street. Le public continua longtemps à déposer son courrier pour l'outre-mer dans certains cafés ou étaient suspendus des sacs réservés à cet usage. Le transport des lettres et des paquets se faisait ensuite grâce à des accords passés directement entre les propriétaires et les armateurs qui fréquentaient ces lieux.

Ces services privés furent souvent plus efficaces que ceux du bureau central des postes qui ne voyait pas d'un bon œil les revenus du courrier lointain lui échapper en grande partie, tant au départ qu'à l'arrivée. Mais tous ses efforts pour rompre ces habitudes furent vains et il demanda au gouvernement d'interdire la levée des lettres dans les cafés, sans y réussir d'ailleurs car ni la loi de 1711 ni plus tard celle de 1765 ne changèrent les choses. A la fin du XVIIIe siècle, l'administration des postes attire à nouveau l'attention du public sur l'existence d'un courrier maritime officiel à Lombard street mais la levée et la distribution des lettres pour l'outre-mer continuent de se faire par l'intermédiaire des cafés. En 1809, le bureau central admet qu'il ne peut rien contre ces habitudes.

Tous les cafés situés près de la bourse royale étaient fréquentés par la communauté commerçante de Londres, principalement. On y traitait toutes les affaires de navigation et d'assurances. De nombreuses compagnies d'assurances naquirent dans les cafés après

le grand incendie de 1666. Dès novembre 1667, la ville avait été divisée en quatre districts qui devaient s'équiper pour pouvoir lutter, à l'avenir, contre le feu. Toutes ces questions matérielles et la rédaction de règlements pour aider éventuellement les sinistrés se débattirent dans les cafés. Les transactions relatives au fret, au chargement, à l'achat et à la vente de navires, à la répartition des prises de guerre et même à certaines ventes aux enchères avaient lieu dans les cafés situés autour de la bourse royale (on y vendit même un esclave).

Le café Lloyd était le plus apprécié des gens de mer et des armateurs qui se retrouvaient dans une arrière salle. Le bureau central des postes lui réservait toutes les nouvelles concernant la navigation et on y réglait toutes les questions d'assurances maritimes. Peu à peu, les différentes branches d'activité se groupèrent par spécialité dans

Une salle de café londonien, peinture signée A.S., 1668, British Museum.
Phot. Bridgeman/Giraudon © Giraudon.

certains cafés. Ainsi dès 1697, le Garraway de la ruelle-au-change recevait déjà la plupart des agents de change, mais on allait aussi chez John à Cornhill et dans quelques autres des environs. Et c'est encore dans les cafés que naquirent les journaux.

Rien d'étonnant à cela puisque toutes les nouvelles de Londres et d'ailleurs aboutissaient dans ces lieux, qui voyaient défiler tant de monde. Les journalistes s'y retrouvaient et y écrivaient la plupart de leurs articles et même leur courrier personnel. Ils y furent parfois malmenés par des lecteurs mécontents ou furieux et les témoignages abondent qui montrent le rôle des cafés dans l'histoire du journalisme, à ses débuts.

Le premier journal, *The Daily Courant* naquit en 1702 et le premier quotidien du soir, *The Evening Post*, en 1706. Les célèbres *Tatler* et *Spectator* virent le jour au St-James. Nous parlons ici des journaux qui portèrent ces noms les premiers et qui devaient leur succès à leurs illustres fondateurs, Addison et Steele. Les cinquante-quatre premiers numéros du *Tatler* - du 7 avril 1709 au 31 décembre 1710 - sont tous datés du St-James. La parution du numéro 1 du *Tatler* avait été à l'origine d'un scandale qui éclata au St-James, comme le rapporte Apperson dans les *Mémoires du Vieux Londres*.

D'après des témoins dignes de foi, deux ou trois hommes bien habillés avaient envahi le café et, à voix très forte, avaient insulté Steele à propos d'un article qu'il venait d'écrire dans ce premier numéro du *Tatler*. Ils menacèrent même de lui couper la gorge

Débit de café à Filzroy Square, dans Cleveland Street. Gravure de George Scharf l'aîné, 1824. © Phot. BBC. EN MÉDAILLON: Le matin ou la réflexion, représente une jeune femme du XVIIIe siècle prenant son petit-déjeuner. Gravure de J. Grozer d'après W. Ward. © BBC.

afin, disaient-ils, de lui apprendre les bonnes manières... Ce même Robert Steele, qui avait épousé en secondes noces Mary Surlock le 20 septembre 1707, lui adressa, avant et après leur mariage, plus de quatre cents lettres, toutes écrites dans les cafés qu'il fréquentait, en particulier au St-James. Elles sont conservées au British Museum. Addison fait référence au St-James, dans le premier numéro du *Spectator*: "je venais tous les dimanches soir au café St-James et je rejoignais quelques amis..."

C'est encore au St-James que se déroulèrent des débats passionés autour d'un pot de café, auquel Addison assistait et qu'il relate dans le *Spectator* du 12 juin 1712 (N°403) à La fausse annonce de la mort du roi de France et de ses conséquences pour la monarchie espagnole et la lignée des Bourbon. En réalité, Louis XIV ne devait mourir que trois ans plus tard le 1er septembre 1715!

Les cafés furent aussi les lieux de réunion des loges maçonniques comme le révèle les archives maçonniques de 1723 et allaient le demeurer pendant plus de cent ans.

Dans l'*Histoire de Londres*, Maitland signale qu'en 1739 il y avait 551 cafés dans la ville; 144, dans les murs de la City y compris la tour et le pont; 132 vers l'est et 122 au nord de Westminster et de la Tamise, contre 207 auberges, 447 tavernes, 5985 brasseries et 8659 débits de brandy.

Pendant le XVIIIe siècle, les cafés furent aussi utilisés pour donner des conférences et pour y présenter les nouvelles inventions du moment. Ainsi plusieurs années avant d'être introduit à l'amirauté, la première rose des vents fut exposée dans un café de la City en 1705. Et c'est au St-James que fut essayée, en 1709, une nouvelle lampe à "globe", créée l'année précédente par Michaël Cole. Elle donnait une lumière stable et forte, capable d'éclairer la rue et les environs et de plus elle ne fatiguait pas les yeux.

Les enseignes suspendues qui signalaient toutes les maisons de cafés disparurent peu à peu à partir de 1734 lorsqu'on commença le numérotage des rues. Cette pratique se généralisa en 1767 et les cafés devinrent plus faciles à identifier. Jusque-là on se contentait de donner des repères tels que "au coin de la rue", "la porte avant le coin", "trois portes après le coin", ce qui entraînait de nombreuses imprécisions quant aux adresses des maisons désignées de cette façon.

Mais le café qui avait lancé la plupart de ces célèbres maisons était passé de mode depuis très longtemps et avait été remplacé par une autre boisson exotique qui était soudain apparue dans les dernières années du XVIIe siècle alors que le café était encore la coqueluche de toute l'Angleterre. A cette époque en effet, la plupart des Anglais, à l'exception de quelques priviligiés, soupçonnaient à peine l'existence du thé qui allait cependant supplanter rapidement le café, le dépasser puis le reléguer loin derrière lui.

Or, en 1694, les choses vont changer avec la naissance d'une nouvelle compagnie de commerce: la Compagnie des Indes Orientales. Jusque là, seule la Compagnie des marchands de Londres, créée en 1600 et financée par la grande Élisabeth et des seigneurs de la cour, détenait le monopole du transport des produits exotiques vers la métropole.

Or "The Old Lady" comme on la nomme familièrement, presque centenaire, ne suffit plus à assurer le trafic; aussi a-t-il fallu lui apporter du renfort mais une rivalité génante s'est instaurée entre les deux Compagnies et nuit aux intérêts de la cour qui voit ses profits diminuer. Le gouvernement oblige donc les deux compagnies rivales à fusionner et ainsi va naître une immense entreprise chargée de drainer vers l'Angleterre, toutes les ressources du continent asiatique.

Le thé devient un des principaux produits de transit surtout lorsque les navires de cette compagnie sont enfin autorisés à entrer dans le port de Canton nouvellement ouvert aux étrangers. Le trafic augmente d'une façon spectaculaire et certains bateaux transportent jusqu'à mille cinq cents caisses de thé à la fois.

Les maisons de café voient leur rôle et leur influence diminuer peu à peu. A partir de 1830, l'apparition du chemin de fer, le numérotage des maisons, la pose de boite aux lettres dans les rues, le fait aussi que les armateurs ne se chargent plus de ramasser les lettres, l'expansion de Londres, tout cela fait entrevoir la fin du règne des cafés tels que nous les avons connus depuis leur création.

D'ailleurs, depuis le début du siècle, beaucoup d'entre eux ont changé de propriétaires et sont passés aux mains des marchands de vins qui les ont transformés en taverne. Certains disparaissent et par exemple, en janvier 1838, après l'incendie de la bourse royale, de nombreux cafés situés à proximité sont détruits lors de la reconstruction du quartier. Ceux qui subsistent ne sont plus les lieux privilégiés qu'ils avaient été pendant plus de cinquante ans et où tout ce qui avait de l'importance y était né ou s'y était déroulé.

QUELQUES CAFÉS DE LONDRES

Vers la fin du XVIIe siècle, toute la vie sociale de Londres se déroulait dans les cafés comme nous l'avons vu, et un voyageur suisse, Nisson de Valberg, conquis par ces établissements qui offraient tant de commodités les dépeint ainsi: "Vous avez toutes sortes de journaux. Vous avez un bon feu après duquel vous pouvez rester assis aussi longtemps que vous en avez envie, vous avez du café, vous rencontrez vos amis pour vos affaires et tout cela pour un 'penny' si vous ne voulez pas dépenser davantage." Un peu plus tard, vers la fin du règne de la reine Anne (1665-1714) on comptait déjà 497 cafés à Londres. Il s'en créait partout et non seulement dans la City, extrêmement peuplée, mais aussi dans les quartiers résidentiels comme Queen Anne's Square.

La clientèle variait selon les quartiers et les cafés. Tout naturellement, les gens qui avaient les mêmes affinités, les mêmes occupations ou les mêmes intérêts se regroupaient dans certains endroits mais les journalistes et les charlatans les fréquentaient tous, quant aux étrangers ils étaient partous les bienvenus.

Ainsi on retrouvait plus spécialement: au *White* dans la rue St-James les dandies de Londres (en avril 1733, il sera détruit par le feu); au *Grec* de Covent garden, les étudiants; au *Truby* et à *L'enfant* près de St-Paul, le clergé; au *Café de Jonathan* dans la ruelle au change, les financiers; chez *Lloyd* dans Lombard Street, les négociants et les gens de mer; au *Cocoa-tree* et au *Pall Mall*, les Tories et au *St-James*, les Whighs; au *Petit homme* - près de St James Street - des gens assez inquiétants, escrocs, aventuriers, joueurs et amateurs de faro dont parle Mackay dans son voyage à travers l'Angleterre (1724); au *Jeune homme*, les officiers; au *Vieil homme*, les agents de change et les courtiers; au *Petit Guillaume*, à l'enseigne de la tête de Turc, les loyalistes qui en firent leur quartier général

46

pendant la rébellion de 1745. Le garçon de cette taverne, le petit Guillaume, jouissait d'une très grande popularité auprès de ses clients les plus distingués. On dit qu'il comprenait souvent mieux que la plupart d'entre eux les discussions politiques qui se déroulaient dans cette maison. Une gravure anonyme de 1752 le représente dans son attitude habituelle, apparemment indifférent à ce qui l'entoure mais écoutant avec attention ce qui se dit autour de lui.

Dans *l'Histoire des enseignes* de Larwood (1849), il est fait référence à un manuscrit de Moser (1799) parlant d'une maison de la rue Gerrard à Soho portant ce nom, et qui avait accueilli plus de cinquante ans auparavant une taverne à la Tête de Turc située au coin de la rue du Grec et de la rue Campton mais le British Museum ne peut certifier l'exactitude de l'adresse. On doit cependant s'intéresser tout spécialement au Lloyd et au St James dont les noms sont mêlés à tous les évènements importants de l'époque.

LE CAFÉ DE LLOYD (ou Lloyd) tenu par Edward Lloyd s'ouvre dans Tower street, à une date que l'on ne peut donner avec certitude. *La Gazette de Londres* mentionne son existence dans le N°2429 du 18-21 février 1688-89 mais il est probable qu'il existait déjà depuis quelques années. En 1691, Edward Lloyd déménage pour s'installer dans un local plus grand et mieux placé, à deux pas de la bourse royale qui vient d'être créée: d'après le numérotage des rues, effectué en 1767, il occupait le N°16 Lombard street. Cette maison devient très rapidement le centre des affaires maritimes de toutes natures concernant aussi bien les navires que leur cargaison et les assurances qui s'y rattachent. Ainsi une annonce parue dans *la Gazette de Londres* du 20-24 octobre 1692 montre le rôle important que ce café jouait déjà: "Mardi prochain, 8 novembre, seront mis vente au café Bennet à Plymouth, aux enchères à la chandelle, trois bateaux équipés dont les noms sont la *Thé-*

résa, le *St-Thomas* et le *Palmo*, deux de quatre cents tonneaux et l'autre de cent. En conséquence les inventaires pourront être consultés au café de Lloyd dans Lombard street à Londres...'

En 1693, un bateau de la Compagnie de la Baie d'Hudson fait effectuer la vente d'un de ses bateaux, le *Supply*, chez Lloyd, qui servait de relais à cette compagnie et le capitaine Edgcombe se rend acquéreur de ce navire pour 2200 livres. Le Lloyd n'était pas le seul à effectuer la vente des bateaux à la

chandelle. Depuis 1676 d'autres cafetiers comme Haint et Garraway s'en chargeaient également mais le Lloyd était le plus célèbre de tous.

En 1696, Edward crée son propre journal *le Journal de Lloyd* dans lequel sont données toutes les nouvelles et les informations concernant la navigation. En 1712-1713 Edward meurt. De 1713 à 1728 son gendre, William Newton, lui succède pendant un an puis la veuve de celui-ci. Handy, se remarie en 1715 avec Samuel Sheppard qui conserve le café jusqu'à sa mort le 4 février 1727-1728. En 1734, son beau-frère Thomas Jemson qui avait repris le café meurt à son tour, quelques semaines avant d'avoir la satisfaction de voir sortir en avril 1734 *les Informations de Lloyd* pour la création desquelles il s'était battu longtemps avec ses amis. Ce journal allait bénéficier d'accords privilégiés avec la poste centrale qui lui réservaient toutes les nouvelles maritimes. Malheureusement la poste ne peut "ni mentionner la date de l'accord original, ni ses modalités, ni par qui il fut établi". Le numéro connu pour être le plus ancien, date du 2 février 1740.

En 1748, le grand incendie de Cornhill en mars épargne le café de Lloyd. A partir de 1754, le Café Lloyd est donné partout comme adresse commerciale des principaux négociants, courtiers, etc... Les informations paraissant dans les journaux font foi de la prospérité grandissante de cette maison dans tous les domaines. En 1758, un avis de "l'Annonceur public" signale "est disponible une cargaison de 3000 charges du meilleur engrais du royaume à prendre sur les quais de la Tamise où les navires peuvent le charger. S'adresser à John Stapples au café

Lloyd dans Lombard street." En 1760, le N°1 du *Public Ledger* du 12 janvier publie l'annonce de la vente aux enchères à la chandelle pour quatorze navires, qui se fera au Lloyd. En 1763, le propriétaire Samuel Saunders meurt et selon sa volonté, sa soeur et son beau frère Thomas Lawrence sont

chargés de la direction de la maison de Lombard street. Mais les difficultés éclatent rapidement car le propriétaire incapable de s'occuper de ses affaires prend un associé Charles Waller; celui-ci se conduit bientôt

comme le véritable patron du Lloyd, en dépit des protestations de Lawrence. En 1768, le Lloyd est attaqué dans le *London Chronicle* par *Mercator* à propos de "gains illicites" réalisés par le fameux café, preuve de la dégénérescence des temps...

En 1769, conséquence inattendue de cet article du *Mercator*, les habitués du Lloyd profitent de cette situation pour se débarasser du propriétaire inexistant et de son associé et chargent Thomas Fielding, un des garçon du Lloyd, de prendre la direction de l'établissement. Fielding était un homme de métier, très apprécié pour sa compétence et sa bonne éducation. De plus, il connaissait parfaitement tous les clients du Lloyd. En mars 1769, Fielding loue un local au N°5 Pope's Head Alley, pour vingt quatre livres par an. Il fait savoir aux habitués du Lloyd que Waller s'est désisté en sa faveur et que les *Nouvelles maritimes* sont désormais transférées au Nouveau café de Lloyd ouvert à Pope's Head Alley. Mais Lawrence, réagit et prévient négociants et armateurs que Waller n'était pas autorisé à disposer des intérêts du Lloyd en faveur de Fielding et qu'il reste propriétaire de la maison de Lombard street. Des lors, il existe deux cafés Lloyd dont les activités sont rivales et qui vont s'affronter pendant quelques années.

De 1770 à 1779, le café de Lombard street appelé indifféremment le Lloyd's ou le Vieux Lloyd's, pendant un moment, conserve les privilèges postaux acquis depuis longtemps et sert encore de relais à un certain nombre de transporteurs mais il est évident qu'il décline et que Lawrence et son partenaire Baker mènent un combat perdu d'avance. En 1788, Lawrence meurt. Baker disparait de la scène et le café fondé par Edward Lloyd une centaine d'années auparavant termine son existence mais le nom de Lloyd est conservé par le Nouveau Lloyd's de Pope's Head Alley. On peut mesurer le prestige qui s'attachait à ce nom lorsque l'on pense que Edward Lloyd était mort depuis soixante-dix ans.

D'un simple café est née une formidable entreprise et de nos joueurs le nom de Lloyd est universellement connu. Ses activités sont internationales, environ 60% des affaires contrôlées sont américaines. Toutes les formes d'assurances modernes sauf l'assurance-vie et l'assurance-incendie sont nées au Lloyd's: effractions, vols, tremblements de terre, cyclones, pertes de bénéfices, riques de guerre, poliomyélite...etc. De nos jours les transactions se déroulent encore dans des sortes de boxes rappelant le café d'origine.

LE CAFÉ ST-JAMES situé près du palais St-James au N°87 de la rue St-James après le numérotage de 1767 a probablement été ouvert par John Elliot en 1705 d'après Ashton. (On ne sait pas s'il s'agit du même Elliott qui tenait déjà un café en 1702 dans Albemarle street.) Dès son installation il fut fréquenté par les journalistes et les écrivains les plus en renom et nous avons vu que deux journaux fameux y furent créés.

En 1722, Elliott en était toujours le propriétaire lorsqu'il le laissa à sa veuve Thomasin, qui le gardera jusqu'en 1746. En 1724, Mackay, l'auteur du *Voyage à travers l'Angleterre*, le cite parmi les cafés fréquentés par le beau monde et où il était bon de se montrer. En 1756-1757, l'espionne française Florence Hensey le fréquentait. En 1763, on pouvait y rencontrer Domenico Angelo Malevotta Tremomondo le fameux maître d'équitation et d'escrime qui écrivit, cette année là, un traité sur l'escrime.

Dans les années 1786-1790 les annales de la rue St-James signalent que le jeune Isaac Disraëli avait l'habitude de venir y lire les journaux, lorsqu'il séjournait à Londres. En 1795, on sait par le cadastre (volume 30) que le café existe toujours et que son propriétaire est maintenant James Carr. En 1802, William Graham succède à celui-ci et transforme ce café en une sorte d'hôtel et de club. Le journal *Images de Londres* indique en 1802 que le N°87 de la rue St-James est fréquenté par les gentilhommes de l'armée et de la marine, que la table est bonne et les chambres confortables. En 1806, l'établissement est fermé sans que l'on en sache exactement la raison. En 1813, un incendie le détruit en même temps que des maisons voisines mais un hôtel est bientôt reconstruit à cet emplacement dès 1815.

Marseille qui fournit tout le café qui se boit en Europe ne compte pas l'Allemagne parmi ses clients car les Allemands de l'époque sont anti-Français. Ils se refusent donc à en acheter parce qu'ils devraient passer par Marseille pour s'en procurer. Cependant, l'Allemagne connaissait le café depuis longtemps, puisque dès le XVIe siècle un médecin d'Augsbourg, Léonard Rauwolf, au retour d'un voyage vers Alep, en 1750, avait décrit une certain boisson appelée *chaube* que l'on préparait avec des graines nommées *bunc* et qui n'étaient autre que des "fèves" de café.

Malgré leur ferme intention de ne pas suivre cette nouvelle mode venue du Moyen-Orient, les Allemands n'allaient pas demeurer longtemps à l'abri d'un phénomène qui avait déjà touché, l'une après l'autre, toutes les grandes villes d'Europe. Débutant par Venise, le café était passé par Oxford, Londres, Marseille, Paris, la Haye, Amsterdam et après l'Allemagne il allait atteindre les frontières les plus reculées des pays nordiques et même Saint-Pétersbourg, sans oublier Vienne et ses provinces satellites, où cependant, il était arrivé par une toute autre voie. A cette époque, Hambourg était en relations commerciales suivies avec l'Angleterre et les voyageurs étrangers, comme les équipages des bateaux, connaissaient tous cette boisson que l'on trouvait dans la plupart des grands ports voisins. Aussi les Allemands allaient-ils devoir s'y mettre malgré eux. Le café fut servi à la cour pour la première fois en 1675.

Une première maison de café tenue par un Anglais s'ouvre à Hambourg dès 1677 ou 1679, semble-t-il, à la grande satisfaction des marins anglais, grands amateurs de café et fort bons clients des bars du grand port. Quelques années plus tard, vers 1687 (ou 1690) le café est vraiment installé dans la ville. Il fait également une apparition remarquée à Leipzig, en 1694, à l'occasion de l'inauguration de la célèbre foire et obtient le plus grand succès auprès de tous les visiteurs, qu'ils soient marchands, poètes, ou beaux esprits.

Très rapidement, de grands cafés s'ouvrent dans plusieurs villes d'Allemagne et offrent à leur clientèle toutes sortes d'attractions allant des équilibristes et des montreurs d'animaux, aux concerts, expositions de machine et même ventes aux enchères. Dans ces réunions cosmopolites, toutes les classes fusionnent et l'on y rencontre aussi bien des bijoutiers que des éleveurs, des peintres, des chroniqueurs ou des musiciens. On trouve le café depuis 1686 à Nuremberg, en 1689 à Regensburg, depuis 1697 à Würzburg, en 1704 à Munich, en 1712 à Stuttgart, en 1713 à Augsbourg, en 1721 à Berlin... Cependant certains hommes refusent encore à leurs femmes et à leurs filles le droit de les imiter. En 1732, Jean-Sébastien Bach compose une cantate à ce propos dans laquelle il se moque de ce comportement anormal en montrant un père furieux s'en prendre à sa fille qui ne veut, pour rien au monde, renoncer à ce plaisir.

Pour ralentir le succès étonnant que le café connaissait, on avait commencé par le soumettre à certaines restrictions qui débutèrent dès 1697. Puis le gouvernement octroie à quatre bouilleurs le privilège héréditaire d'assurer, seuls, la vente du café. En 1744, malgré le prix élevé du café certaines maisons en font néanmoins une très grande consommation, comme la cour. En 1750 la vogue du café s'accentue encore à la suite d'un nouvel impôt qui frappe les boissons alcoolisées.

On se jette sur le café et même sur le thé; mais on consomme quarante cinq fois plus de café que de thé, adopté seulement par quelques cercles littéraires et politiques. En effet la plupart des cafés se sont transformés et certains jouent le rôle de salons littéraires fréquentés assidûment par les plus grands écrivains du siècle. Un cafetier de Leipzig pourra dire, avec un certain humour: "Goethe a emménagé chez moi..." faisant allusion à la présence presque permanente de celui-ci chez lui. Il arriva à 16 ans dans cette ville si brillante qu'on appelait le "petit Paris".

Peu à peu le petit déjeuner traditionnel composé de soupe à la farine et à la bière est remplacé par du café. La consommation de celui-ci augmente dans de telles proportions que le roi Frédéric II s'alarme et décrète que "les maçons, les filles de ferme et autres travailleurs manuels n'avaient pas besoin de boire du café". Il taxe très lourdement cette denrée dans l'espoir de limiter les importations devenues trop onéreuses pour le pays, puis il déclare la vente du café monopole d'état, en se réservant le droit de griller les "fèves". En 1766 il fait venir de la Haye un Français qui y réside et qui possède une grande expérience des impôts appliqués aux produit de luxe. Celui-ci se fait accompagner de deux cents fonctionnaires dont la présence sera très mal acceptée.

Cependant les classes supérieures sont privilégiées: hauts fonctionnaires et gens d'église obtiennent des dérogations pour brûler eux-mêmes leur café. Les fèves atteignent des prix exhorbitants et leur valeur est multipliée par six. A Hambourg, des fraudeurs remplirent un jour un cercueil de café grillé et lui firent franchir le poste de douane dans un faux cortège funèbre, précédé d'un homme qui criait "choléra, choléra" pour éloigner les fonctionnaires. On fixait aussi des ballots de café sur le dos des chiens et on les chassait pour qu'ils traversent, en trombe, la barrière. Les tailleurs, les merciers, les cordonniers s'étaient spécialisés dans la confection de vêtements et de chaussures avec des caches secrètes. Et c'était surprenant de voir tant d'infirmes passer la douane chaque jour!

Les contrebandiers usent de toute leur astuce pour satisfaire les amateurs. Un nouveau service de fonctionnaires doit être créé pour dépister les fraudeurs qui risquent de fortes amandes et même l'emprisonnement ou les travaux forcés, s'ils sont pris. A cette occasion on recrute d'anciens combattants de la guerre de Sept ans et les "renifleurs de café" comme on les appelle, parcourent les villes et les campagnes à la recherche d'une odeur révélatrice.

En 1779 cependant, en dépit de tous ses efforts, Frédéric II n'a pu empêcher de nombreux cafés de s'ouvrir. Beaucoup plus tard, le 21 janvier 1781, il promulgue encore un décret interdisant en particulier à toute personne non autorisée à torréfier le café, à céder du café vert ou torréfié, à en griller chez elle ou ailleurs et à en posséder en dehors de celui que fournit le dépôt général, en paquets scellés, sous peine de subir une amende de dix livres par livre de café indûment détenue ou cédée. Après la mort de Frédéric, en 1787, le monopole du café disparait, ce qui permet à des torréfactions artisanales de naître. Elles seront à l'orgine des torréfactions industrielles allemandes. En même temps on assiste à l'apparition d'un succédané du café: la chicorée, pour remplacer le café dont le prix est prohibitif.

Mais l'ère des grands établissements tels qu'ils existaient au XVIIIe siècle est passée. Les simples bourgeois délaissent un peu les nouveaux cafés et préfèrent ceux que l'on appelle les "café-promenades" situés à la sortie de la ville où ils peuvent se rendre facilement et où l'on entend souvent de la musique militaire ou des choeurs d'hommes.

Cette coutume se développe en particulier dans la région de Berlin où, selon le désir de Frédéric, de nombreuses petites fermes se sont installées et accueillent les promeneurs qui viennent y boire du café et du lait. Mais pour ne pas aller contre la règlementation en vigueur, elles mettent une pancarte "Ici on peut faire son café". Les familles apportent donc du café moulu et les fermiers fournissent l'eau bouillante et les pâtisseries. Dans les périodes révolutionnaires qui secouent l'Europe en 1830 et en 1848, on parle beaucoup de politique dans les cafés allemands et même on y conspire.

Après 1848, les cafés sont fermés pendant un certain temps par la police qui les accuse de jouer un rôle dangereux pour le pays. Lorsqu'ils sont autorisés à rouvrir, les choses ont bien changé et les habitudes aussi. La clientèle n'est plus mélangée comme autrefois et les usagers se regroupent plutôt par catégories sociales; ainsi on trouve des cafés de médecins, de journalistes, de fonctionnaires, de joueurs d'échecs, de musiciens, d'écrivains, etc... D'ailleurs, les établissements eux-mêmes sont différents de ce qu'ils étaient

UN GRAND AMATEUR:
FRÉDÉRIC II

S'il essayait de limiter les achats de café de ses sujets, pour des raisons économiques, lui-même usait très largement de cette boisson, trop même, au dire de ses médecins. Il en buvait de telles quantités qu'il fut obligé de diminuer la consommation excessive qu'il en faisait pour suivre les conseils de la Faculté. "Je n'en prends plus que sept ou huit tasses le matin, et une cafetière l'après-midi..."

On doit préciser que son café était à base de champagne et qu'on y ajoutait une bonne cuillerée de moutarde!

————————

Canon à trois voix, *chanté vers 1800 en Allemagne:*
    Ne bois pas trop de Café
    Ce n'est pas pour les enfants
    C'est une boisson pour les Turcs
    Ça affaiblit les nerfs
    Ça rend tout pâle et malade
    Ne sois donc pas comme un musulman
    Qui, lui, ne peut s'en passer.

BERLIN

Le café Kranzler dont le patron était d'origine autrichienne était le plus célèbre de tous les cafés de Berlin et aussi le plus élégant. Il fut entièrement détruit au cours de la seconde guerre mondiale mais son nom est resté dans toutes les mémoires. Il a été reconstruit quelques années plus tard à Berlin-Est et le nouvel établissement est une fidèle reproduction de l'ancien café viennois Kranzler.

CANTATE DU CAFÉ
DE J.S. BACH

D'après une fable de Picander de Leipzig (1727), Bach composa une Cantate du café. Cette satire fut créée à Leipzig entre la fin de l'année 1734 et le début de 1735. Le père, maître Schlendrian, menace sa fille Lisette, qui lui résiste, de sérieuses représailles si elle ne renonce pas au café qu'elle trouve "plus doux que les baisers, plus suave que le muscat..." Mais en vain:
Le père: *"Plus de noces, adieu promenades..., pas de belles robes, plus de rubans d'or..."*
La fille: *"Mon père, que vous êtes dur. Si je n'ai plus chaque jour trois petites tasses de café, bientôt je vais me dessécher, comme un rôti mal arrosé..."* Et en cachette: *"Nul prétendant ne m'obtiendra s'il ne veut faire la promesse que je pourrai me régaler de café".*
Et le ténor: *"Toujours le chat retourne aux rats et au café, la jeune fille."*
Puis tous en choeur: *"L'aïeule en raffolait jadis, la mère ne s'en peut passer, qui voudrait donc blâmer la jeune fille..."*

————————

Un dicton: *Le café a deux qualités, il est chaud et humide.*

au XVIIIe siècle et même au début du XIXe siècle. Ce ne sont plus uniquement des salons de lecture, de rencontres ou de discussions. On les fréquente pour y déguster du café, bien entendu, mais aussi du chocolat et même du thé car, après les guerres napoléoniennes, beaucoup d'Allemands ont imité les Anglais, leurs alliés de l'époque.

D'autres maisons de café sont devenues des cafés-restaurants où des jardins d'hiver, du genre orangerie, au style un peu pompeux, offrent un décor permanent de verdure. Certains possèdent un orchestre et l'on peut venir y danser, les après-midi.

Enfin, imitant Mathias Bauer qui a ouvert le premier café viennois à Berlin, des maisons du même genre se sont installées dans toutes les grandes villes. On y trouve comme à Vienne, des tables de marbre, des chaises à la Thonet et des journaux que l'on vient lire dans le calme, en buvant du café préparé de bien des façons, accompagné de nombreux gâteaux, le tout servi uniquement par des hommes. Ces maisons confortables et même douillettes offrent ainsi un heureux mélange des grands cafés d'autrefois et des pâtisseries très en vogue dans le pays entier.

Dans l'Allemagne d'aujourd'hui, on boit toujours beaucoup de café et à toute heure de la journée, mais surtout à la maison et au bureau. On peut dire que neuf personnes sur dix en prennent régulièrement. On le préfère le plus souvent avec un peu de lait et du sucre et pas très fort. Malgré les changements dus à la vie moderne les réunions de dames, l'après-midi, autour d'une tasse de café accompagné de toutes sortes de gâteaux, sont toujours très appréciées.

L'Allemagne n'arrive plus en tête des consommateurs européens comme ce fut le cas au XIXe siècle, cependant elle occupe encore une place très honorable puisqu'elle tient le sixième rang mondial, ce qui représente une consommation moyenne de sept kilogrammes par an et par personne. Elle achète les meilleurs arabicas du monde pour leurs qualités aromatiques et leur finesse de goût qui donnent, après une torréfaction plutôt légère, un café assez clair, à mi-chemin entre celui des pays nordiques plus blond et celui de l'Europe occidentale beaucoup plus sombre. Malgré ce que l'on pourrait croire on boit plus de café en Allemagne que de bière! (164 litres de cafés contre 146 litres de bière par an et par habitant.)

PAGE PRÉCÉDENTE: Le café politique, gravure par Fortier, 1789. © Viollet.

Image publicitaire distribuée par les marchands de café (vers 1950). © Musée des Arts et traditions populaires.

Après l'Europe occidentale, le café fait la conquête des pays nordiques. Il arrive en Suède un peu avant 1700 et presqu'en même temps en Finlande, en Norvège et au Danemark. Certaines personnes le connaissaient déjà avant cette époque, comme le conseiller d'État Roland Klauss, envoyé en Turquie en 1651 et qui avait eu l'occasion de goûter ce breuvage pendant sa mission. Dans son ouvrage intitulé *Voyage à Constantinople* 1657-1658, il donnait ses impressions en ces termes: "C'est une boisson bouillie à partir de graines qu'ils (les Turcs) boivent très chaude, à la place de l'alcool... Si on ne la boit pas très doucement, on se brûle très gravement et le vizir m'a montré comment il fallait s'y prendre pour le boire sans se brûler..." Il écrit aussi: "C'est très mauvais de goût, comme si c'était fait avec des pois grillés...'

Cependant les Suédois allaient le contredire. En 1685, le café fait une apparition timide dans un port. En 1690, deux débits de café s'ouvrent à Stockholm et s'installent dans les étages supérieurs des maisons car il y règne une atmosphère plus calme que dans les caves ou au niveau de la rue où se tiennent habituellement les cabarets. En 1713, les boissons fortes sont défendues dans ces lieux. En 1728, quinze cafés sont officiellement connus dans la ville mais il y en avait d'autres de moindre importance qui ne figurent pas dans ce total et qui possédaient cependant des enseignes sur leurs façades. A la même époque, Paris en comptait déjà trois cents. En 1731, les jeux sont interdits dans les cafés. En 1758, il existe vingt-deux maisons de cafés fréquentées surtout par des voyageurs, des employés et des fontionnaires. En 1788, il y en aura quarante cinq.

Cependant le café avait connu des moments difficiles durant toute cette période où il gagnait, peu à peu, du terrain. Il avait été taxé très fortement, comme marchandise de luxe, à la demande du collège médical qui dénonçait l'emploi inconsidéré du café, en 1746. De plus, il avait été interdit, à trois reprises, au cours du siècle passé: d'abord en 1745; puis du 31 juillet 1794 au 24 novembre 1796. Et ce décret avait été tristement accueilli par bien des Suédois. Ainsi une dame avait noté dans son carnet intime: "L'après-midi, nous avons bu du café dans des petites cafetières neuves très jolies, pour la première et la dernière fois, la veille de l'interdiction de boire du café." Le mécontentement était si profond dans le pays que le 24 novembre 1796, le Roi Gustave Adolphe IV revint sur cette décision. Peu de temps après, le 6 avril (ou janvier) 1799, le café était à nouveau interdit; puis les importations soumises à des droits de douane très élevés reprennent, pendant la première moitié du XIXe siècle. En premier lieu, entre le 6 avril 1802 et le 30 avril 1807; puis de 1817 à 1822; et enfin le 5 mai 1853. A partir de cette date, le café arrive régulièrement en Suède et devient la boisson nationale du pays qui est actuellement le premier consommateur du monde avec treize kilogrammes de café par an et par personne.

En Finlande, le plus septentrional des pays d'Europe, le café connut le même destin qu'en Suède. Il n'y a rien d'étonnant à cela puisque les deux pays appartenaient au même empire. Après avoir fait son apparition vers 1700, en particulier à l'est du pays, sous l'influence de la cour de Saint-Petersbourg, le café est d'abord réservé à la haute bourgeoisie puis il se répand dans tout le pays. Il est interdit une première fois de 1767 à 1769; à nouveau de 1794 à 1796; et encore au début du XIXe siècle. Actuellement il est considéré

comme la boisson nationale de ce pays qui partage le titre de plus grand buveur de café du monde avec une consommation annuelle tournant autour de 13 kilogrammes par an et par habitant.

En Norvège, le café arrive, comme en Allemagne, dans une période qui se situe entre 1675 et 1725, mais il ne remporte pas tout de suite un très grand succès. Vers 1830, les étrangers qui passaient dans ce pays notaient dans leurs relations de voyage leur étonnement de trouver si peu de café en Norvège, contrairement aux pays voisins. En effet les importations de "fèves" étaient encore très faibles à cette époque. Mais en l'espace de 20 ans la consommation de café se trouve multipliée par quatre. La loi de 1845 sur les alcools joue en faveur du café car on se tourne vers lui pour compenser des restrictions insupportables. Et, à partir de 1850, il devient la boisson nationale. Quelques années plus tard, vers 1855, les importations atteignent 5,2 millions de kilogrammes par an, soit 3,5 kilogrammes par an et par habitant. Entre 1850 et 1860, le commerce du café fait un très grand bond en avant, en particulier à partir de 1854 lorsqu'une première cargaison de café arrive dans le port de Bergen sur un bateau norvégien (la Suède avait reçu son premier café du Brésil en 1809).

Dès ce moment et jusqu'en 1900 on assiste à une très forte augmentation des importations due à la réorganisation du trafic maritime et au fait que la Norvège cesse de dé-

Une salle d'un grand café à Copenhague, au début du siècle. © *Jacobs Suchard Museum.*
PAGE SUIVANTE: *belles du By. Pass.* © *BBC.*

pendre de Hambourg qui, jusque-là, redistribuait le café dans les ports européens. Aujourd'hui la Norvège entre en relation directe avec les pays producteurs grâce aux nouvelles communications par câbles et reçoit désormais son café sans intermédiaire. Avant qu'il soit devenu habituel de se servir de café torréfié et moulu, vendu tout préparé, chacun achetait son café vert d'après des échantillons que les marchands cherchaient à rendre les plus présentables possibles. On offrait donc à la vente au détail des grains de bonne grosseur, de taille uniforme, avec le minimum de "fèves" defectueuses. La couleur jouait un rôle très important, si important même que, grâce à certaines machines importées d'Allemagne, on lavait, on teintait et on polissait le café vert pour obtenir un café "façon Porto-Rico" ressemblant tout-à-fait à un véritable "Porto-Rico".

Ensuite on commença à vendre du café grillé mais comme il risquait de se détériorer pendant les longs voyages à travers le pays, on prit l'habitude de recouvrir les grains d'une très fine couche de résine. Au moment où l'on sortait le café du torréfacteur pour le refroidir, on pulvérisait de la résine finement broyée sur les grains encore très chauds. La résine fondait immédiatement et formait une mince pellicule brillante, imperméable à l'air. Cette pratique très courante contribua probablement à l'introduction du café dans les régions les plus reculées de Norvège. Enfin, en dernier lieu et pendant quelques années, on se servit d'une huile de café venant d'Allemagne pour rendre les grains plus brillants. En effet, les gens croyaient que l'aspect luisant d'un café était la preuve de sa bonne qualité et il était impossible de les faire changer d'opinion. Il fallut que les autorités médicales fassent promulguer une loi, en 1935, interdisant l'apport de tout additif pendant ou après la torréfaction, pour que ces pratiques cessent définitivement.

Le Danemark faisait encore partie du Royaume Uni de Norvège-Danemark, lorsque le café y fit son apparition à peu près en même temps qu'en Suède. Le célèbre écrivain danois Ludwig Holberg (Bergen 1684, Copenhague 1754) en parle déjà dans ses comédies dès le début du XVIIIe siècle. Les Suédois, les Norvégiens et les Danois suivent la Finlande de très près avec une consommation de 11 à 12 kilogrammes par an et par habitant.

Enfin, parmi les grands buveurs de café des pays nordiques, on ne peut oublier de parler des Lapons qui vivent en majorité au nord du cercle polaire et qu'on retrouve à la fois en Norvège, en Suède, en Finlande et en Russie. Le café est leur boisson nationale sauf pour une minorité habitant la presqu'île de Kola, qui préfèrent le thé comme leurs voisins russes. Chez les autres, il y a toujours en bonne place, même dans la plus rustique des maisons en rondins de bois, un moulin à café et une bouilloire prête à servir. Dans tous les pays nordiques, on aime le café grillé, plutôt blond foncé que brun, obtenu après une torréfaction moins poussée qu'en France et en Italie. On estime que cette façon de faire permet de mieux développer l'arôme du grain et d'obtenir le goût idéal apprécié dans ces régions.

Ainsi les cafés importés en Norvège et mélangés convenablement sont-ils tous traités de la même façon dans les usines spécialisées et grillés à la même température, ce qui leur assure une qualité régulière et uniforme. Un contrôle électronique fixe le degré de cuisson et la durée de la température à quelques secondes près. Ensuite ils sont moulus industriellement et selon l'usage qu'on veut en faire, on peut trouver deux sortes de mouture dans le commerce: la fine, que l'on utilise dans les filtres ordinaires ou électriques et une plus grossière, employée dans la préparation traditionnelle du café. Depuis quelques années, on trouve également une poudre très fine convenant aux appareils de type "expresso" qui ont fait leur apparition récemment.

En Suède, dès le début du XIXe siècle on a proposé aux consommateurs du café grillé et moulu. Au temps où l'on achetait son café vert et où chacun le rôtissait à la maison, on utilisait, comme partout ailleurs dans le monde, des récipients clos que l'on agitait ou secouait au-dessus d'une flamme, selon les cas, à moins que l'on ne se serve d'une simple poêle. Il était ensuite écrasé dans un mortier ou broyé dans des moulins qui firent très tôt leur apparition. Après avoir porté de l'eau à ébullition dans un pot réservé à cet usage, on jetait une quantité convenable de café et on laissait infuser six à huit minutes, hors du feu. On ajoutait parfois un peu d'eau froide pour précipiter au fond les débris qui flottaient encore. Cette façon de procéder était utilisée dans tous les pays nordiques mais on faisait aussi bouillir de la poudre dans l'eau, peut-être par raison d'économie. Une recette suédoise, du milieu du XIXe siècle conseillait d'écraser les grains très finement, puis de tamiser la poudre et d'employer de préférence une eau riche en fer. Puis il fallait laisser infuser la mouture dans l'eau froide et après une courte ébullition on devait poser la casserole sur un torchon plié en quatre sur lequel on étendait une couche de sel, pour que le marc tombe au fond (recette datée de 1854)

En 1866, un inspecteur des écoles avait rédigé un livre de ménage, destiné aux écoles de filles, et conseillait d'employer une cafetière à filtre pour améliorer le goût du café comme cela se pratiquait dans quelques maisons. En 1879, un article du journal énumérait les différentes façons de préparer cette boisson: en utilisant un filtre en tissu, car il existait plusieurs modèles de cafetières de ce genre dans le commerce, ou en versant la poudre dans une eau frémissante et en laissant infuser quelques minutes hors du feu, ou, au contraire, en jetant le café moulu dans l'eau froide et en portant le tout à ébullition, plus ou moins longtemps, selon les goûts.

Car, peu à peu, en Suède comme en Norvège, les habitudes commençaient à changer, assez lentement d'abord, et très rapidement depuis une vingtaine d'années. Ainsi, un sondage effectué en Suède, en 1965, montrait que la plus grande partie du pays préparait encore son café traditionnellement à cette époque, c'est-à-dire en faisant bouillir la poudre, à l'exception du Sud toutefois où 90% de la population le filtrait déjà, du moins dans les grandes villes, mais les proportions étaient inversées dans le Nord.

Or, une étude de marché réalisée dans les années 1980, fait apparaître que les torréfacteurs ne vendent plus que 20% de leur production en café moulu destiné à la préparation traditionnelle, contre 80% réservé aux cafetières à filtre. Et il en est de même en Norvège où, depuis quelques années, les cafetières électriques ont envahi la plupart des foyers. On les appelle d'ailleurs improprement: percolateurs, car ce ne sont que des cafetières à filtre automatisées où l'eau bouillante coule d'elle-même sur la poudre déposée dans un filtre en papier. Il en existe un très grand nombre de variétés et le consommateur est guidé dans son choix puisque les meilleurs portent le label K.T.S., indiquant que ces appareils ont été testés et retenus par un organisme officiel fondé en 1972. (Le K.T.S. est un service qui examine toutes les machines à faire le café, destinées aux particuliers et aux collectivités.)

Les pays du nord sont actuellement les plus grands consommateurs de café du monde. On ne l'y aime pas très fort (on devrait plutôt dire pas très noir), car en réalité on utilise 70 grammes de café par litre en Norvège, autant qu'en France. On y met le plus souvent de la crème légère, assez liquide, du genre "fleurette" de nos régions. Mais on ne boit pas toujours le café aussi sagement et on y ajoute parfois de l'alcool. En Suède, c'est le *kaffekask*, un mélange de café et d'aquavit (l'alcool de blé du pays). Une vieille coutume de la campagne pour le réussir consistait, parait-il, à mettre une petite pièce de monnaie au fond de la tasse et à la recouvrir de café jusqu'à ce qu'elle ne soit plus visible. Puis on rajoutait de l'aquavit et lorsqu'on l'apercevait à nouveau, on avait juste mis la bonne dose d'alcool... Au Danemark, une boisson traditionnelle, encore en vogue dans le Jutland, le *kaffepunch*, se prépare avec du café chaud et sucré auquel on ajoute une rasade d'alcool.

On peut dire que le café est présent toute la journée dans ces régions. Si le matin, on boit parfois du thé, la pause traditionnelle du milieu de la matinée, respectée sur tous les lieux de travail, est exclusivement réservée au café. On en reprend après le déjeuner de midi, principal repas de la journée, de même qu'après la légère collation du soir. L'après-midi, on boit encore du café, souvent accompagné de pâtisseries, même si les obligations de la vie moderne empêchent les femmes qui travaillent de prolonger ces agréables moments.

Enfin le café est particulièrement à l'honneur pour la Sainte-Lucie, largement fêtée dans toute la Suède, le 13 décembre. Dans chaque maison, ce jour-là, une jeune fille vêtue de blanc et portant une bougie allumée à la main, présente à la famille le café du matin avec des gâteaux aux épices. Et c'est encore du café que l'on offre aux prix Nobel après les cérémonies officielles du 13 décembre. Enfin on peut remarquer que dans toutes ces régions nordiques, on boit le café à la maison ou au travail bien plus qu'au dehors.

Le pays possédait une très ancienne constitution qui garantissait les libertés des citoyens depuis des siècles, de sorte que rien ne s'opposa à l'entrée du café. Il arrive par la France et dès le XVIIIᵉ siècle, on le trouve en premier lieu dans les cantons frontaliers de Genève, Neufchâtel et Bâle. Au XVIIIᵉ siècle, il est présent dans toutes les grandes villes mais les campagnes sont brimées, ainsi qu'en témoigne un "avis à la population" de 1769, émanant des autorités bâloises: "Ayant dû constater à notre déplaisir un mal qui n'est pas moins néfaste pour l'économie ménagère et la santé, mais qui affaiblit singulièrement les forces corporelles, à savoir l'abus de la consommation de café qui sévit parmi les populations des campagnes chez qui se présentent déjà des signes de ses effets nocifs, nous sommes amenés par notre souci pour le bien-être de nos administrés, à nous opposer à la progression de cet abus dans nos campagnes et à y mettre un terme. Par conséquent, nous interdisons à nos administrés et concitoyens des campagnes (exception faite des aubergistes au service des voyageurs) l'usage et la consommation du café que ce soit avec du lait ou à l'état pur, sous peine d'une amende de cinq livres pour une première infraction". Ces amendes, très élevées pour l'époque, montraient la domination des villes sur les campagnes et aussi le désir de la Suisse d'être déjà au service du tourisme, comme le fait remarquer avec une certaine malice l'ouvrage de Dr Eugen C. Bürgin: *Café*.

Actuellement la Suisse avec une consommation d'environ huit kilogrammes par an et par habitant arrive en très bonne place parmi les Européens.

Dans un café viennois, le journal et le café font bon ménage comme autrefois.
© *International Coffee Organisation.*

A Vienne au contraire, le café s'installe sans aucune difficulté après avoir emprunté un itinéraire très original. En effet, il y fait son apparition à la fin de la grande bataille que se livrent les Autrichiens et les Turcs sous les murs de la ville en 1683. Conduits par le grand vizir Kara Mustapha surnommé Mustapha-le-terrible ou Mustapha-le-noir, les assaillants sont vaincus grâce aux efforts conjugués des Viennois et de leurs alliés polonais. En s'enfuyant, les Turcs abandonnent derrière eux un énorme butin au milieu duquel on découvre cinq cents sacs de graines noires totalement inconnues. On fait toutes sortes de suppositions à leur sujet mais les questions que l'on se pose sur leur origine et leur utilisation restent sans réponse. Les vainqueurs, bien embarrassés, décident finalement d'offrir cette singulière prise de guerre au valeureux héros polonais Kolschitzky qui s'est distingué dans la lutte contre l'ennemi commun.

A ce propos, on raconte que des boulangers travaillant une nuit près de leurs fours entendirent des bruits inquiétants et s'aperçurent que des ennemis essayaient de creuser des galeries sous les remparts de la ville pour y pénétrer par surprise. Ils purent donner l'alarme en temps utile et Vienne fut sauvée. Pour les récompenser, Ferdinand I leur octroya le privilège de fabriquer ces fameuses pâtisseries en forme de croissant, qui célébraient la victoire remportée sur les Turcs. Cet épisode, bien souvent raconté, n'est malheureusement pas véridique et n'appartient qu'au domaine des belles légendes!

Cependant Kolschitzky a réellement participé à la victoire de Vienne et on le paya deux cents ducats pour le rôle du messager qu'il avait joué pendant le siège mais on ne lui accorda ni la citoyenneté autrichienne qu'il avait demandée ni la licence de cafetier qu'il espérait bien obtenir. On retrouve une dernière fois sa trace alors qu'il habitait rue des serruriers, dans une maison à l'enseigne de la Bouteille bleue, fréquentée par un certain Deodotus dont nous reparlerons plus loin. Kolschitzky ne fut peut-être pas le premier, comme on le dit souvent, à utiliser les cinq cents sacs de café abandonnés par l'ennemi et ce titre revient sans doute à Johannes Diadoto, un Arménien qui reçut, le 17 janvier 1685, l'autorisation de servir du café à Vienne en récompense des services rendus aux Autrichiens, assiégiés par l'armée turque, en leur servant d'interprète et d'espion tout à la fois. Ce privilège lui fut accordé pour vingt ans.

On a presque oublié cet homme assez étonnant et, curieusement, seul le souvenir de Kolschitzky est resté dans la mémoire populaire. Cet Arménien, Diadoto, né à Constantinople vers 1640, avait séjourné dans plusieurs pays d'Europe durant sa jeunesse, en compagnie de son père, avant de se fixer en Autriche et ceci explique sûrement le rôle qu'il pût jouer pendant la guerre. Établi à Vienne vers 1670 il avait obtenu l'autorisation de faire le commerce des produits turcs, des épices, des tapis d'Orient, des cuirs, des pièces de monnaie... et, à l'occasion, il vendait aussi toutes sortes de renseignements. Il habitait dans le quartier des marchands du Levant et bien entendu ceux-ci furent les premiers à apprécier le café qu'il préparait dans sa propre maison. Mais il fut bientôt obligé de quitter la ville pour aller à Venise où il avait des intérêts. Pendant sa longue absence, qui allait durer dix ans, l'empereur Léopold I accorda à quatre Arméniens, en 1700, le droit de vendre du café, du thé, du chocolat et des sorbets moyennant certaines redevances, contrairement à Diadoto qui en avait été complétement exempté.

Lorsque ce dernier revient à Vienne, il constate que le café a conquis la capitale, rattrapant et même dépassant la plupart des grandes villes d'Europe où il règne déjà depuis le milieu du siècle précédent. En effet, dans tous les coins de la ville on rencontre maintenant de nombreuse petites maisons de café à l'enseigne d'un Turc tenant une cafetière à la main. Les marchands de boissons alcoolisées, jaloux du succès de ces nouveaux venus, se mettent eux-aussi à vendre du café, en fraude, provoquant ainsi la colère justifiée des cafetiers patentés. Marie-Thérèse apaise enfin ces querelles incessantes en 1747, en autorisant les cafés à vendre eux-aussi des boissons alcoolisées.

A leurs débuts, ces modestes établissements n'avaient rien de commun avec les cafés traditionnels viennois que nous connaissons. Leur ameublement se composait, au plus, de quelques tables de bois et de bancs grossiers rassemblés dans un local sombre et souvent peu avenant. Mais à mesure que le café fait la conquête des hautes classes de la société, le décor des maisons de café se modifie par petites touches. On commence par recouvrir les sièges pour les rendre plus confortables puis de nombreuses améliorations apparaissent peu à peu. Milani, un architecte italien très connu est un des premiers à embellir ces lieux de plaisir si appréciés des Viennois en utilisant des miroirs à profusion; il en accroche plus de trente sur les murs de son établissement. Les cafés se transforment mais ils se sont pas encore les magnifiques salons qu'ils allaient devenir ensuite et bien des gens, sans manière, gardent encore leur chapeau sur la tête, en buvant leur café. Cependant l'inventaire d'un de ces établissements, fait en 1792 (au profit de la veuve Taufestein), révèle déjà la présence des principaux éléments qu'on retrouvera plus tard dans tous les cafés traditionnels. Dans celui-ci il y avait: "deux billards et deux lampes en laiton, vingt sept queues de billard, deux lots de boules espagnoles et un de boules pyramidales, quatre lustres, trois glaces, une horloge murale, trois tableaux, douze tables, douze sièges... une passoire à sucre, une poële en fer, un moulin à café, un mortier en laiton, une petite pièce." On peut remarquer qu'on ne signale pas encore la présence des fameux verres à eau qui feront plus tard obligatoirement partie du service. Cependant on y fume depuis peu car, en 1786, un cafetier a eu l'idée originale d'autoriser sa clientèle à fumer dans les jardins.

Les cafés distingués font vraiment leur apparition avec le Congrès de Vienne, en 1815, lorsque la capitale autrichienne devient le centre de la diplomatie européenne, après la chute de Napoléon I. Ces établissements font assaut de luxe et utilisent à profusion les bois sombres, les dorures, les marbres véritables ou non, les colonnes, les statues, les lustres en cristal, les miroirs, les palmiers en fonte, les plantes vertes et les beaux tapis, bien entendu. Certains se font, en plus, remarquer par la richesse de leur vaisselle et l'on cite en particulier le café Silber où les couverts, les tasses et les cafetières étaient en argent massif de même que les porte-manteaux, sans parler de ses tapisseries de valeur et de ses billards prestigieux.

Vers 1842, on voit apparaître un certain style d'ameublement que l'on doit spécialement à Michel Thonet, attiré à Vienne par le Prince de Metternich. La cour lui accorde le privilège d'employer différentes sortes de bois qu'il courbe avec adresse, créant des sièges que les plus grands cafés se disputent.

Les artistes de théâtre et les musiciens se donnaient rendez-vous après les spectacles dans ces établissements à la mode où la clientèle ravie côtoyait les célébrités du moment.

Les grands cafés traditionnels étaient vraiment les lieux de prédilection des Viennois. Ils pouvaient y lire tous les journaux qui paraissaient et dans les langues les plus diverses. Un cafetier Ferdinand Künberger disait déjà, il y deux cents ans: "Chaque café a sa bibliothèque. Presque chaque grand cafetier dépense deux à trois mille florins pour ses journaux. Seul un prince dépenserait cela pour ses livres" On y allait aussi pour jouer ou pour discuter. Les Viennois y traitaient presque toutes leurs affaires. Otto Friedländer fait dire à un de ses personnages: "Je travaille plus au café que tout autre dans son magasins" et ajoute "ce n'est pas toujours le cas, mais cela peut-être vrai". Peter Altenberg, né en 1859, a plaisamment rappelé le rôle joué par les cafés dans bien des circonstances de la vie de ses concitoyens, en ces quelques lignes: "Tu as des soucis, quels qu'ils soient... va au café". "Pour une raison quelconque, toute plausible qu'elle soit, elle ne peut venir chez toi... va au café". "Tu as quatre cents couronnes de salaire et en dépenses cinq cents... va au café". "Tu n'en trouves aucune qui te convienne... va au café". "Tu est au fond de toi-même, au bord du suicide... va au café". "Tu hais et méprises les hommes et ne peux cependant t'en passer... va au café". "On ne te fait plus crédit nulle part... va au café."

De plus, les cafés permettaient de se chauffer gratuitement l'hiver, comme le raconte Joseph Richter, journaliste et écrivain: "Sur ce nous allâmes dans un café qui fut expressément construit pour que les gens qui n'avaient pas de poële et de bois à la maison puissent se réchauffer. Quand Monsieur Vetter voulut alors boire un café ou un chocolat, il dut d'abord demander à ces messieurs qui se réchauffaient de lui faire une place. Mais quelque-uns devaient être vraiment frigorifiés car à peine avais-je bu avec Monsieur Vetter mon café que ceux-ci posèrent aussitôt leur postérieur sur la table pour se réchauffer près du café fumant."

Ce café que l'on buvait à Vienne avait tout d'abord été préparé à la mode turque, naturellement. Mais on le transforme très vite pour le mettre au goût des vainqueurs et après l'avoir filtré on y ajoute du lait ou de la crème pour préparer le fameux café viennois qui allait avoir tant de succès, puis on invente toutes sortes de variations autour du même thème. Avec seulement de l'eau et du café moulu on prépare, bien sûr, un café plus ou moins concentré dont les appellations peuvent se traduire par "très court", "normal" ou "rallongé" et qui se boit nature sous le nom de *mokka*. Avec un nuage de lait il devient un *capucin*, si l'on en met un petit peu plus on obtient un *sombre* et avec encore une goutte, on a un *brun*. En ajoutant encore du lait on passe par le *brun clair* puis le *doré* et on arrive au *café blanc* ou il n'y a plus qu'un peu de café dans beaucoup de lait.

On raconte qu'aux beaux jours du Herrenhof, un certain garçon Hermann, présentait à ses clients une palette où se trouvaient vingt nuances de marron portant chacune un numéro, ce qui permettait aux clients de passer leur commande en utilisant ces repères. On imagine facilement les confusions qui devaient se produire et les contestations qui pouvaient en découler. Si l'on verse du lait bouilli dans un café moyen - *le doré* - et une pincée de cacao, on obtient un *cappucino*, et si l'on remplace le lait par de la crème fouettée, on a alors un *francisain*. On peut aussi remplacer le lait ou la crème par un jaune d'œuf et sucrer avec du miel... ce qui donne un breuvage plutôt réconfortant. On peut encore arroser le café d'un rhum ou d'un autre alcool ou même d'une liqueur comme le faisait Marie-Thérèse d'Autriche qui aimait spécialement celle d'orange. Ce mélange porta le nom de café *Maria Thérésa*

Mais à toutes ces préparations "classiques" s'ajoutaient des fantaisies qui apparaissaient de temps à autre et remportaient un succès plus ou moin éphémère. Ainsi, en 1790 le célèbre Milani proposait une nouveautée obtenue en versant du café noir très fort et froid sur deux boules de glace à la vanille nappées de crême fouettée, qui ressemble beaucoup à ce que nous appelons maintenant un "café liègeois". A un autre moment, ce fut la mode du "mazagran" une sorte de café froid préparé selon une recette inventée par des soldats français qui s'étaient battus longtemps devant ce village. Dans un café fort et chaud on faisait infuser des clous de girofle et de la cannelle, puis on le faisait refroidir, on le filtrait, le sucrait et on l'arrosait de marasquin et de cognac. Mais quelles que soient les spécialités choisies et elles ne figurent pas toutes ici, les Viennois ont toujours accompagné leur café de pâtisseries variées à base de pâte feuilletée, de pâte brisée, de pâte au levain ou de pâte à beignets pour en faire des croissants fourrés aux noix et aux graines de pavot, des gâteaux au chocolat, à la compote de prunes ou à la confiture, des chaussons au fromage blanc et les fameux *Apfelstrudel* sortes de feuilletés aux pommes (ou aux cerises) parfumés à la cannelle, très connus en dehors de l'Autriche.

On a dit, à juste titre, que le café était le "second pied à terre" du Viennois où les hommes se rendaient pour se distraire, travailler ou paresser, se reposer, profiter de la solitude et aussi pour discuter et échanger des idées en bonne compagnie sur les sujets les plus graves comme les plus futiles. Riches ou pauvres, artistes, écrivains, peintres, musiciens, architectes, créateurs, hommes politiques, financiers, tous, les apprécièrent et de ces rencontres naquirent souvent les grands courants qui marquent une époque. Ceux qui les fréquentent maintenant sont aussi attachés à ces établissements traditionnels que l'étaient leurs aînés et le récent sondage fait à Vienne en 1983, à l'occasion du tricentenaire de l'arrivée du café dans la ville, montre que les amateurs d'aujourd'hui recherchent toujours ce qui a fait la renommée des cafés Viennois d'autrefois puisqu'ils ont cité par ordre d'importance: "La table à journaux, la table de café, la loge près de la fenêtre, la terrasse, l'entrée, le billard, la caisse, la loge tapissée de glaces et enfin le miroir." C'est-à-dire tout ce qui définit les cafés viennois depuis leur grande époque.

QUELQUES CAFÉS DE VIENNE

Parmi les plus célèbres cafés qui ont vu le jour à la fin du XVIIIe siècle ou au début du XIXe siècle on retrouve:

LE CAFÉ HAWELKA dans la Dorotheergasse. Ce lieu de rencontre traditionnel des gens de lettres, des artistes, des étudiants et de la bohême n'a cessé de jouer un rôle important depuis ses débuts. Il jouit toujours d'une très grande popularité car "le client peut y passer une matinée, un après-midi ou une journée

entière en compagnie d'un café noir, d'un grand ou d'un petit crème, d'un café au lait ou à la crème fouettée et (bien entendu) le garçon lui renouvelle de temps en temps son verre d'eau fraîche''.

LE CAFÉ CENTRAL, peut-être le plus illustre et qui a rouvert ses portes après avoir été entièrement rénové. Parmi ses clients un certain Lev Bronstein venait y jouer aux échecs pendant des heures. Au moment de la révolution russe de 1919 on le retrouvera sous le nom de Léon Trotsky.

Enfin, LE CAFÉ HUGELMANN situé tout près du pont Léopold, dans une île formée par le Danaukanal et le Danube, non loin des quartiers de Leopoldstadt et du Prater. Il était très apprécié pour ses jardins agréables et pour la vue qu'il offrait sur le Danube et sur la ville; de plus le personnel était stylé et efficace. Le spectacle dans les deux sens était une véritable distraction pour les clients qui s'amu-

saient aussi à regarder les ébats des nageurs tout proches et les évolutions des bateaux sillonnant le Danube.

Mais le café Hugelmann était lui-même un pôle d'attraction pour les Viennois et les badauds qui traversaient le pont pour admirer ce café luxueux et sa clientèle si étonnante où les poètes, les musiciens, les peintres et les acteurs à la mode côtoyaient des négociants juifs ou turcs, des marchands de chevaux et des voyageurs de toutes nationalités qui s'y donnaient rendez-vous. On regardait en particulier des Hongrois se livrer à un jeu de leur pays à l'aide de boules énormes, mais surtout on venait assister à de magnifiques parties de billard au cours desquelles les meilleurs joueurs autrichiens et étrangers s'affrontaient. Ce café était la plus célèbre académie de Vienne de l'époque, on a même parlé d'université des jeux de billard à son propos.

PAGE 63 ET CI-DESSUS: *aspects des cafés viennois.* © *International Coffee Organisation.*

De Vienne le café allait passer très facilement à Prague, capitale de la province voisine, grâce à un certain Deodotus Damascenus comme l'appelaient les pères jésuites ou Theodat, en grec. Il était né à Damas de parents syriens ou arméniens. Après être passé par Tripoli et par le Caire où il apprend l'italien, il rentre chez lui. En 1699, il se rend à Rome pour apprendre le latin et sous l'influence jésuite il adopte la religion chrétienne. Cet Arménien qui fréquentait une maison de café de Vienne à l'enseigne de la Bouteille bleue dans la rue des serruriers, y avait appris, par hasard, par des jésuites grecs que le café était encore inconnu à Prague tandis qu'on le trouvait maintenant à tous les coins des rues de Vienne. Cette information intéresse à tel point Deodotus de Damas, comme on l'appelle aussi, qu'il décider d'aller sans tarder tenter sa chance dans cette région. Avec tout l'argent qu'il possède il achète quelques sacs de fèves de café et il part vers la Bohême, alors province autrichienne, muni d'une lettre de recommandation pour les jésuites de Prague.

Il est vrai qu'il n'y avait pas encore de café public dans cette ville lorsqu'il y arrive; cependant on connaissait le café depuis longtemps mais on n'en trouvait qu'en pharmacie et il fallait une ordonnance pour se procurer cette denrée rare, utilisée comme médicament. En 1688, un certain Christophe Lampain avait déjà demandé au gouverneur de la ville, l'autorisation d'ouvrir un local public pour y vendre du chocolat, du thé, de la limonade et du café mais, n'étant pas citoyen de Prague, cette permission lui avait été refusée. Dès son entrée dans la capitale de la Bohême, Deodotus se présente devant les jésuites et leur remet sa lettre d'introduction. Ceux-ci acceptent d'aider cet homme dont les religieux de Rome disent grand bien.

Cet oriental parlait difficilement la langue du pays et utilisait surtout l'italien et le latin qu'il avait appris dans ses voyages pour communiquer avec les gens. Ceux qui venaient du sud de la Bohême et qui étaient nombreux à Prague à cette époque pouvaient le comprendre de même que les hommes d'église et les personnes instruites. Avec les autres, il était obligé de s'exprimer par gestes et y réussissait fort bien, d'ailleurs. Il habitait au bout de la rue Karlova près du pont St-Charles, dans une maison à l'enseigne des Trois autruches - qui porte toujours ce nom actuellement - et il y préparait du café à la turque. L'"Arabe", comme on l'appelait dans le quartier, sortait dans la rue habillé à l'orientale et interpelait les passants dans une sorte de charabia tchéco-allemand, pour leur proposer son café. Lorsqu'il avait terminé sa vente ambulante, il revenait chez lui et servait cette boisson aux amateurs qui le dégustaient debout, comme cela se faisait à l'époque.

Il entretenait de très bonnes relations avec les jésuites qui appréciaient la compagnie de cet homme aimable et doux, fervent catholique et qui leur faisait souvent les traductions dont ils avaient besoin. Grâce à leurs relations, ses protecteurs lui font obtenir la citoyenneté praguoise et lui procurent aussi un local où il peut installer, en 1714, un café qui plus tard portera le nom du Serpent d'Or. (D'après certains historiens, ce nom n'apparut qu'au milieu de la XIXe siècle, sur la façade de cette maison.)

La même année, il épouse une femme tchèque qui lui donne bientôt une fille puis un fils, malheureusement il se met à négliger son commerce car il est très occupé par ses travaux littéraires. Bientôt trainé en justice pour les pamphlets qu'il écrit, le scandale et la prison le guettent, il doit fuir et il se réfugie à Leipzig.

Pendant ce temps, plusieurs petits café s'ouvrent à Prague mais Deodotus ne se préoccupe guère de cette concurrence car il passe tout son temps à écrire. Sa situation s'aggrave et il doit même solliciter une subvention de Marie Thérèse d'Autriche pour survivre. Cependant ces ennuis financiers et familiaux ne l'empêchent pas d'atteindre un âge très avancé, puisqu'il vit jusqu'à quatre-vingt-dix ans. Après la liquidation du café de Deodotus par sa femme, un autre débit de même genre s'ouvre dans une maison voisine, sous l'enseigne des Deux Arabes. C'est dans cette maison que devait naître l'historien tchèque Ignac Cornova. Puis comme partout ailleurs, les cafés se multiplient car les amateurs sont très nombreux à apprécier cette boisson. Certains le préfèrent à la turque mais beaucoup d'autres le boivent aussi à la mode de Vienne avec toutes les variantes que nous connaissons. Dans les cafés publics on sert aussi facilement le "Turc" que le "Viennois" comme l'on dit car le café est demeuré la boisson privilégiée que l'on prend à tout moment de la journée.

Intérieur d'un café à la mode de bohême (1840?). © Sirot-Angel.

La Conquête du Monde

out le café consommé en France, en Italie, en Angleterre, en Allemagne, en Autriche et en Tchécoslovaquie est donc vendu par Marseille qui détient le monopole du commerce de toutes les "fèves" de café expédiées par Moka, son fournisseur depuis 1644. Les énormes profits qu'elle retire de ce négoce lui attirent bien des jalousies et les Hollandais vont, les premiers, tout mettre en œuvre pour lui ravir cette exclusivité. Ce sont les plus gros commerçants de l'époque.

Ils ont déjà réussi à évincer les Portugais de toutes leurs possessions de l'océan Indien et à s'emparer du trafic des produits rares d'Orient et d'Extrême-Orient, en particulier de ceux de la soie, de la porcelaine et des épices, mais il leur manque encore le café. Ils ne peuvent acheter les "fèves" directement à Moka en raison des accords qui existent entre cette ville et Marseille; aussi vont-ils tenter de s'en procurer sans passer par Moka et Marseille. Il n'existe qu'un seul moyen, c'est de cultiver eux-mêmes du café dans leurs possessions d'Insulinde; mais il leur faut d'abord réussir à se procurer des graines ou des plants, entreprise particulièrement difficile car les Arabes veillent jalousement sur leurs plantations.

Cependant, il semble que Van Horn, le gouverneur général des Indes néerlandaises, ait réussi en 1690, au prix de mille difficultés, à obtenir plusieurs pieds de café qu'il fait envoyer à Batavia. D'après d'autres sources de renseignements ce serait Nicolas Witsen, bourgmestre d'Amsterdam et représentant de la Compagnie des Indes néerlandaises, qui, le premier, aurait fait parvenir quelques pieds de café à Java en 1696 par le commandant de Malabar, Adrien Van Ommeren. Malheureusement, ces caféiers périrent à la suite d'une forte inondation. Une nouvelle tentative obtint plus de succès et l'on réussit enfin à envoyer aux Pays-Bas un rameau cultivé à Batavia à l'intention de Commelin, le grand bo-

Chargement de sacs de café à Santos, Brésil. © *International Coffee Organisation.*
PAGE SUIVANTE: *publicité, début de siècle.* © *Musée de la Publicité, Paris.*

taniste d'Amsterdam, en 1706. Trois ans plus tard ce pied fleurit et donne des graines. Le café s'acclimate très facilement; un jeune arbuste peut même être expédié en 1710 au jardin botanique d'Amsterdam où l'on a construit la première serre d'Europe.

Les Hollandais réussissent si bien à Java dès leurs premiers essais, que cinquante ans plus tard leur comptoir de Batavia peut expédier trois millions et demi de livres de café à Amsterdam et les Hollandais vont vite rattraper le retard qu'ils avaient pris sur leurs voisins.

Les gens riches et les bourgeois connaissent le thé depuis 1670. Certains lui préféraient le chocolat mais avec l'arrivée des premiers chargements de graines en provenance de Java, les habitudes vont changer. Le café devient la boisson à la mode, pour tout le pays. A veille de la Révolution Française, les Hollandais sont les premiers buveurs de café d'Europe devant les Belges, les Scandinaves, les Espagnols, les Allemands et les Français. On estime qu'ils consomment environ deux kilogrammes de grains par an et par habitant tandis que les Français frôlent à peine les trois cents grammes.

On peut s'étonner du comportement des Français alors que les "fèves" arrivent en abondance dans les grands ports spécialisés mais il ne faut pas oublier que le pays possède d'importantes ressources viticoles et dans les campagnes on préfère encore le vin à toute autre boisson.

Au début du XVIIIe siècle, en guerre contre la Hollande, la France est écartée de la distribution de plants hollandais à tous les jardins d'Europe pourvus d'une serre; elle doit attendre que la paix soit signée à Utrecht, en avril 1713, pour recevoir enfin un caféier. Ce pied de café offert à Louis XIV par les magistrats de la ville d'Amsterdam et leur bourgmestre Monsieur de Pancras est déposé au jardin royal de Marly avant d'être apporté à Paris dans la serre chaude du jardin du roi, qui plus tard prendra le nom de jardin des plantes.

Monsieur Antoine de Jussieu, directeur du jardin, se voit confier la garde de ce magnifique spécimen. Le dimanche 29 juillet 1714, il a l'honneur de le présenter à plusieurs personnalités françaises et étrangères. Chacun peut admirer l'arbrisseau dans sa caisse, celle dans laquelle il a voyagé de Hollande à Marly, puis à Paris. C'est maintenant un plant vigoureux de cinq pieds de haut et d'un pouce d'épaisseur, c'est-à-dire qu'il mesure environ 1,60 m et le diamètre de la tige est de 2,7 cm. Il porte à la fois des fruits verts de la grosseur d'une petite prune, des fruits rouges ressemblant à des cerises et des fruits mûrs beaucoup plus foncés, presque noirâtres. Le Hollandais qui l'a convoyé est présent et il confirme que ce superbe pied de café provient bien du grand caféier d'Amsterdam, celui qui, parti très jeune d'Arabie pour Batavia, arriva ensuite en Hollande où il donna ses premiers fruits trois ans plus tard.

Pendant cette réception, Monsieur de Jussieu peut aussi montrer à ses visiteurs un autre plant encore très jeune, haut de 50 cm seulement et qui a été envoyé de Hollande par un généreux donateur, le lieutenant-général de Resson, botaniste averti. Cinq semaines plus tard, au début du mois de septembre, les curieux peuvent admirer le grand arbuste couvert de fleurs blanches et parfumées, car monsieur de Jussieu se fait un plaisir d'accueillir tous ceux qui désirent examiner de près cette plante rare dont il est très fier. Ce caféier

ne tarde pas à donner des fruits et l'on sème les graines pour obtenir des plants destinés à nos colonies, imitant en cela les Hollandais qui ont montré la voie depuis peu. En effet dès 1714, ils ont pu expédier de jeunes pieds de café dans leurs possessions de Curaçao et d'Amérique du Sud.

Le Roi Louis XIV veut lui aussi introduire cette culture dans ses possessions lointaines. Il espère ainsi venir en aide à la Compagnie des Indes, en situation délicate depuis que le commerce avec l'Extrême-Orient lui échappe. En 1702, les affaires ont été si mauvaises que la Compagnie a frôlé la faillite. Les actionnaires inquiets et mécontents ont alors tourné leurs regards vers une jeune compagnie de Saint-Malo qui, en dépit des années difficiles que connaît le royaume, a réussi à augmenter ses bénéfices.

Cette nouvelle compagnie a même pu racheter à la Compagnie des Indes, pour sept mille livres, le privilège de la traite du café avec l'Arabie. Les Malouins, très ambitieux, caressent maintenant le projet d'enlever à Marseille le monopole qu'elle détient depuis 1644. Ils se proposent donc d'aller à Moka chercher "les fèves" mais en empruntant une autre route qui passera par le Cap de Bonne Espérance. De plus, ils souhaitent cultiver le café dans une terre de l'océan Indien, l'île Bourbon; or elle appartient à la Compagnie des Indes et ils doivent patienter. En 1715, le Malouin Dufresne d'Arsel, à bord du *Chasseur*, apporte cependant quelques pieds de Moka.

En même temps, par un hasard extraordinaire le café était arrivé officiellement à Bourbon grâce à la générosité du sultan du Yémen.

En effet, le 2 juillet 1713, le Roi Louis XIV avait appris une nouvelle d'importance par le navire *Beau-Parterre*, de retour de l'océan Indien. L'officier de santé, Monsieur de la Gréladière, lui avait remis un message du sultan du Yémen qui proposait de fournir à la France quelques pieds de café et qui annonçait aussi l'envoi, par le même courrier, d'un plant destiné au jardin du roi. Malheureusement ce spécimen n'avait pas résisté au voyage. Mais le vieux roi avait été séduit par l'offre inattendue du sultan car il voyait là une magnifique occasion de prendre sa revanche sur les Hollandais qui l'avaient humilié en le faisant attendre plus de trois ans avant de lui donner un pied unique, pour la serre royale.

Le 31 octobre 1714 il envoie donc Monsieur de la Boissière, commandant *l'Auguste* chercher les six caféiers offerts par le Yémen afin de les transporter à l'île Bourbon. Les jeunes plants quittent Moka fin juillet, début août, en direction de l'île Bourbon et y arrivent en bon état à la fin du mois de septembre 1715. Malheureusement le roi ne connaîtra pas cette bonne nouvelle, il vient de mourir le Ier septembre 1715. Lorsque les six pieds de Moka débarquent à l'île Bourbon on s'aperçoit qu'il existe, sur place, un café ressemblant beaucoup à celui qu'on apporte. On l'appellera *café marron* pour le distinguer de celui de Moka "l'unique bon", et Lamarck nommera ce *café marron: Coffea mauritiana*. Sur les six pieds donnés par le sultan du Yémen cinq périssent mais le dernier s'acclimate très bien. Il fructifie en 1718 et deux ans plus tard il aura déjà fourni huit cent quatre vingt seize jeunes pieds. En 1718, la Compagnie des Indes orientales a également envoyé des pieds de Moka à l'île Bourbon. L'année précédente, il semble qu'un certain Dufourgerais-Grenier en ait fait autant. En 1723, Monsieur Desforges le gouverneur de Bourbon, signale les progrès considérables du café dans l'île. Quelques années plus tard, son successeur informe le ministère qu'un premier envoi de deux cent cinquante balles de café est parti le 12 décembre 1727 pour la métropole et que neuf cent balles sont prévues pour la récolte en cours.

Le 31 décembre 1731, Bourbon expédie quatre cent soixante-dix mille livres de café indigène, plus deux mille livres de café moka et l'on prévoit que l'île sera bientôt en demeure de fournir, à elle seule, plus de café que tout ce qui est consommé en France. En effet en 1820 elle approvisionnera non seulement la métropole mais elle sera un des principaux fournisseurs de café du monde. Et pourtant, cette culture va disparaître presque totalement à cause de la concurrence des Antilles et du Brésil et aussi des maladies qui dévastent les plantations de l'île.

Pendant que le café passait directement du Yémen à l'île Bourbon, en France on se préparait à envoyer dans nos possessions d'Amérique, les premiers plants obtenus par Monsieur de Jussieu. En effet après la mort de Louis XIV, le régent Philippe d'Orléans, le superintendant du jardin du roi Monsieur de Chirac, le directeur du jardin Antoine de Jussieu et les membres de l'académie des Sciences reprennent le projet du défunt roi. Ils chargent donc Michel Isambert, docteur en médecine de la faculté de Montpellier et apothicaire du régent, de transporter à la Martinique trois jeunes caféiers avec des abeilles, des vers à soie et quelques plantes destinées à l'île. Isambert attend son bateau très longtemps au Havre et arrive à Fort-de-France à la fin du mois de juin 1716. Malheureusement, il meurt de la fièvre jaune quelques jours plus tard, laissant à l'abandon ses malheureuses plantes.

De l'Occident vers l'océan Indien

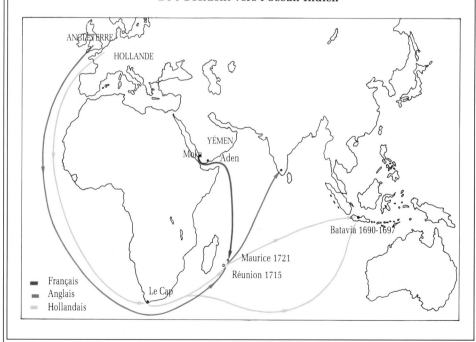

Le conseil de la Marine demande au botaniste du roi à la Guadeloupe de prendre soin des précieux caféiers mais il est trop tard pour les sauver. Le gouvernement local et le conseil de la Marine décident de solliciter un nouvel envoi afin de pouvoir commencer la culture du café dans leur île, sans plus tarder. Mais la puissante Compagnie des Indes occidentales détient le monopole du commerce du royaume par voie de mer et s'oppose à cette requête. En effet, elle avait obtenu le 28 mai 1661, le privilège d'exploiter quelques terres dont la Guyane et les Antilles et elle ne veut pas que le café s'implante dans les îles. Pour ne pas subir le sort des Antilles, la Guyane va tenter de se procurer des pieds de café par ses propres moyens.

Le gouverneur de la province, Claude de Guillonet, s'adresse d'abord à sa voisine, la Guyane hollandaise, espérant obtenir quelques ''fèves'' car les premiers plants envoyés par Amsterdam poussent fort bien au Surinam et fructifient déjà. Or le gouverneur de la Guyane hollandaise a reçu l'ordre formel de ne pas laisser sortir les précieuses semences de la province. La demande des Français est donc rejetée.   Néanmoins, ceux-ci vont réussir quant même à se procurer des graines provenant du Surinam, grâce à un certain Morgue. Cet homme, ancien déserteur, avait trouvé asile en Guyane hollandaise et y séjournait depuis plusieurs années lorsqu'il obtint sa grâce en 1719. Il revient alors à Cayenne. Il a rapporté en secret quelques graines de café qu'il sème chez Monsieur de la Motte-Aigron où il occupe le poste d'économe. Il meurt peu après, mais les jeunes pieds qu'il a obtenus sont très vigoureux et produisent déjà. Aussi en 1722, le gouverneur de la Guyane française peut-il expédier au conseil de la Marine le premier petit paquet de graines récoltées par le territoire. Il profite de cet évènement pour demander qu'on réserve, dès ce jour, le monopole de la culture du café à la Guyane mais cette faveur lui est refusée. L'année suivante, en 1723, il fait un nouvel envoi plus important et signale que la colonie possède maintenant vingt mille pieds de café dont certains, précise-t-il, donnent trois et même quatre livres de ''fèves''. De plus il annonce que soixante mille graines viennent d'être nouvellement semées. Un bel avenir semble promis au café, en Guyane.

Il convient d'ajouter qu'un an après Morgue, la Guyane s'était procurée d'autres graines de café grâce à onze déserteurs réfugiés eux aussi au Surinam et dont l'aventure rappelle un peu celle de Morgue. Le lieutenant Berthier et quelques soldats chargés d'aller les reprendre les ramènent à Cayenne, mais avant d'embarquer, les fugitifs avaient réussi l'exploit de se procurer des graines de café. A leur arrivée, ils les remettent au gouverneur commandant d'Orvilliers et l'on peut espérer que ce cadeau inespéré fait à la colonie leur valut d'être graciés.

Cependant le chevalier de Clieu revendique la gloire d'avoir introduit le premier cafétier à la Martinique en 1721, dans des circonstances toutes différentes évidemment. Malheureusement il ne fit connaître son aventure qu'en 1774. Pourquoi avoir tant tardé pour relater ce qui s'était passé cinquante ans auparavant? On s'explique assez mal ce silence. Donc, en poste dans l'île, il constate que les Antilles vont prendre du retard dans la course au café qui commence dans le Nouveau Monde et déplore profondément cette situation. Après un séjour de deux ans, il repart vers la France où il espère se faire entendre. Dès son arrivée, il entreprend de nombreuses démarches auprès du directeur du

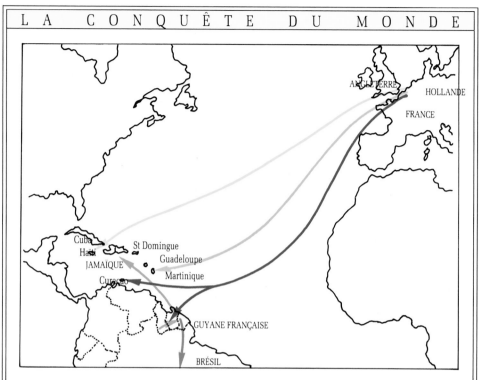

De l'Occident vers le Nouveau Monde

(violet)	1714 Vers la Guyane hollandaise	(rose)	1720 Départ vers la Martinique et les îles voisines
(orange)	1716 1er envoi vers la Martinique	(vert)	1721 Vers le Brésil
(bleu)	1719 De la Guyane hollandaise vers la Guyane française	(jaune)	1728 Vers la Jamaïque anglaise.

jardin du roi afin qu'on lui confie un pied de café qu'il emportera lui-même à la Martinique à la fin de son congé. Il est éconduit plusieurs fois mais il ne se laisse pas décourager. Il finit par obtenir gain de cause et devant son insistance, on décide de lui remettre un jeune plant au moment de son départ vers la Martinique.

La traversée est particulièrement difficile et fertile en péripéties dramatiques. L'eau vient même presque à manquer et de Clieu doit partager sa maigre ration avec le jeune caféier qu'il entoure de tous ses soins. Lorsque le navire touche enfin Fort-de-France, après un voyage très mouvementé, le petit arbuste a résisté à toutes les épreuves. Le chevalier le plante dans son propre jardin afin de pouvoir mieux le surveiller. Il le fait même garder à vue, jour et nuit, pour le protéger des voleurs. Dix huit à vingt mois plus tard, le caféier donne ses premières graines qui sont confiées à plusieurs maisons religieuses et à des amis du chevalier, avec mission de les semer. L'île obtient ainsi ses premiers plants, la culture du café peut démarrer.

Les plantations prospèrent rapidement et vont se multiplier deux ans plus tard, à la faveur de circonstances dramatiques. En effet, accompagnant le tremblement de terre du 21 octobre 1727, une terrible tempête se déchaîne et presque tous les cacaoyers de l'île sont déracinés. C'est un véritable désastre qui anéantit le travail de plusieurs années. Les colons sinistrés réagissent sans perdre de temps. Courageusement, ils abandonnent le cacaoyer et utilisent immédiatement leurs terres dévastées pour cultiver le café. Les jeunes pieds trouvent un sol qui leur convient tout particulièrement et ils se développent vigoureusement dans les nouvelles plantations.

Par une lettre du 29 novembre 1727, le chevalier de Clieu informe le conseil de la Marine "qu'il a distribué des graines aux habitants des îles voisines et que la Martinique possède maintenant plus de cent mille pieds de café dont la moitié porte des graines..." C'est un beau succès dont le chevalier est fier à juste titre, mais sans vouloir diminuer le mérite de de Clieu on peut penser que d'autres graines ont sans doute contribué aussi à ce magnifique résultat. De plus l'île Bourbon a, depuis peu, envoyé des graines de café à la Martinique.

Quoiqu'il en soit, le ministre de la Marine peut se réjouir des débuts prometteurs du café à la Martinique puisqu'il est cultivé avec succès par cinq à six mille habitants en 1727 et 1728. L'île se prépare à exporter sa production vers la France mais... elle avait oublié son vieux contentieux avec la Compagnie des Indes. Celle-ci n'avait pu empêcher l'arrivée du café aux Antilles comme elle en avait eu, tout d'abord, l'intention. Mais voyant la réussite de cette culture, elle avait prévu ce qui allait arriver et dès 1723 elle s'était fait accorder, par ordonnance royale, le monopole de la vente du café en Europe. Aussi lorsque la Martinique se déclare prête à envoyer sa production vers la France, la Compagnie fait-elle valoir ses droits dans l'intention de prendre sa revanche. Déclarant que "le royaume est suffisamment servi de café par celui d'Égypte et de Moka et que les isles de Bourbon et de France (plus tard Réunion et Maurice) y suffiraient par la suite..." elle exige en 1729 qu'on interdise la culture du café dans les Antilles. Les colons refusent d'obéir et de se laisser ruiner au moment où leurs efforts de plusieurs années vont enfin être récompensés. Ils sont très prêts de la révolte pour défendre leur café. Devant une si fa-

La vente du café "brulé" au Brésil au début du XIXᵉ siècle, peinture de J.B. Debret. © *Musée de la Marine.* PAGE SUIVANTE: *Le chevalier de Clieu arrosant le précieux plant de café qu'il apporte à la Martinique en 1723.* © *Phot. The Bettmann Archive, New-York / Senillon / Bocourt.*

rouche détermination, on leur permet de continuer à exploiter leurs terres. L'année suivante, ils sont en mesure d'exporter leurs premiers sacs de "fèves" mais ils ne sont pas autorisés à les diriger vers la France.

Enfin en 1731, ils obtiennent le droit de commercer directement avec l'Irlande, le Danemark et le Cap vert et peuvent acheter, en échange, de la viande salée pour nourrir leurs esclaves (cette autorisation sera renouvelée en 1741). C'est une maigre victoire, car les débouchés sont insuffisants pour écouler leur production grandissante. Ils supplient le roi de leur venir en aide et une ordonnance royale autorise alors la création d'entrepôts, dans quelques ports français. Le 27 septembre 1732, Marseille, Bordeaux, Nantes, Saint-Malo, le Havre et Dunkerque sont aménagés pour recevoir les cafés de la Martinique, de la Guadeloupe, de Grenade et de Marie-Galante à condition que ces cafés soient transportés uniquement par des navires français et vendus ensuite à l'étranger.

Enfin le 29 mai 1736, le café des Antilles est autorisé à entrer en France, moyennant certaines taxes pour sauvegarder les intérêts de la Compagnie des Indes, mais il peut aussi être offert librement à l'étranger selon les droits antérieurement acquis. En 1737, la France reçoit des Antilles, environ sept mille tonnes de café. Cette culture continue à se développer largement dans toutes les îles car la vente des "fèves" est d'un grand rapport. En 1789 par exemple, Saint-Domingue produit à elle seule quarante mille tonnes de café. Si l'on ajoute à cela les récoltes de la Martinique, de la Guadeloupe, de la Guyane et celles de l'île Bourbon on arrive à cinquante mille tonnes ce qui représente une grande partie de la consommation totale de l'Europe.

GABRIEL-MATHIEU DE CLIEU

"Gabriel-Mathieu de Clieu naquit à Dieppe en l'année 1687. Son père, Mathieu de Clieu, écuyer, sieur de Neufvillette, de Derchigny, d'Anglesqueville-sous-Glicourt, jouissait en 1698 de la Seigneurie de Derchigny qu'il avait achetée du sire de Rassent, châtelain de d'Archelles. La famille de Clieu, originaire de la ville de Dieppe, y tenait un rang distingué dans la marine de ce port, dont le commerce était alors beaucoup plus considérable et plus étendu qu'aujourd'hui." C'est ainsi que l'abbé Lecomte présentait le chevalier dans la *Revue de Rouen*, en 1848.

Le jeune Gabriel-Mathieu partagea ses premières années entre Dieppe, le Havre et Neufvillette, puis rejoignit très vite l'École maritime. Envoyé comme capitaine d'infan-

terie à la Martinique en 1718, de Clieu revint en France en 1720 pour affaires personnelles. Il repart de Derchigny en 1721 ou 1723 (d'après l'abbé Lecomte) pour s'embarquer à Nantes avec la précieuse plante que son obstination et ses démarches répétées lui avaient permis d'obtenir de la cour. Il donnera sa version des faits dans une lettre écrite beaucoup plus tard, en 1774... "Plus occupé du bien public que de mes propres intérêts, sans être découragé par le peu de succès des tentations que l'on avait faites depuis quarante ans pour introduire et naturaliser le café dans nos îles, je fis des démarches pour en obtenir un pied au Jardin du Roi. Elles furent longtemps infructueuses, je revins à la charge sans me rebuter: enfin la réussite couronna ma

constance. J'en eus l'obligation à M. de Chirac, premier médecin du Roi, qui ne put résister aux instances d'une dame de qualité dont j'employai le crédit auprès de lui.''

Le jeune caféier voyagea donc dans une caisse de chêne, couverte d'un petit châssis en verre et dont on pouvait réchauffer l'intérieur, les jours sombres et froids, par une ouverture ménagée à cet effet. Avant son départ, de Clieu avait juré sur l'honneur de veiller sur la précieuse plante confiée à ses soins pour qu'elle parvienne en bonne santé à la Martinique. Cependant le voyage allait être fertile en épisodes dramatiques. Au début tout alla pour le mieux et le jeune caféier passait ses journées sur le pont, entouré comme une vedette par les passagers et l'équipage, tandis que la nuit le chevalier le gardait près de son lit pour mieux le surveiller et le soigner. ''Il est inutile, d'entrer dans le détail des soins infinis qu'il me fallait donner à cette plante délicate et de la peine que

j'eus à la sauver des mains d'un homme bassement jaloux du bonheur que j'allais goûter d'être utile à ma patrie, et qui, n'ayant pu parvenir à m'enlever ce pied de café, en détacha une branche.''

Mais vers Madère, le bateau fut attaqué de nuit par des pirates de Tunis et il semble que de Clieu ait sauvé la situation en faisant sauter, d'un coup de hache, la tête du capitaine des corsaires. Pendant toute la bataille, de Clieu avait confié le précieux caféier à une jeune fille, Louisa, qu'il avait connue pendant la traversée et qu'il devait épouser plus tard. A quelques centaines de lieues de la Martinique, le navire essuya une terrible tempête et il fallut jeter par dessus bord tout ce qui l'alourdissait. On alla jusqu'à même se débarrasser de plusieurs barils d'eau. Le vent tomba enfin, mais après l'ouragan, le calme plat s'installa et le bateau resta immobile, écrasé par la chaleur accablante des tropiques. Dix jours passèrent ainsi, puis quinze, et chacun dut se contenter d'une tasse d'eau par jour et d'une autre la nuit, car l'eau menaçait de manquer. La situation était désespérée lorsqu'enfin une légère brise se leva et porta le navire jusqu'au port de Saint-Pierre avec le jeune caféier à qui le chevalier avait sacrifié toute son eau dans les derniers jours de la traversée. L'abbé Lecomte signale toutefois: "qu'un long voyage en Arabie l'avait habitué (le chevalier) aux climats chauds, dont il supportait les incommodités plus facilement que les autres".

Après l'introduction du café à la Martinique avec le succès que l'on a déjà rapporté, de Clieu fut nommé gouverneur de la Guadeloupe, en 1730, en récompense de ses mérites. Il devait faire bénéficier l'île de la connaissance de ces régions et de leurs possibilités.

Mais à propos de de Clieu, certains sont sceptiques et font remarquer qu'en dehors des propres affirmations du chevalier ou de celles de ses historiographes, on n'a pas de preuve qu'il ait apporté le premier caféier à la Martinique. Ainsi, dit-on, on n'a pas trouvé de trace des nombreuses démarches qu'il aurait faites pour obtenir les pieds de café destinés à la Martinique. On ne peut certifier ni la date exacte ni le port par lequel il s'embarqua, malgré toutes les recherches effectuées dans les archives de Rochefort, La Rochelle, Nantes et le Havre pour la période de 1720 à 1725. On ne peut pas non plus assurer qu'il apporta le café à la Martinique en 1721 comme il le dit lui-même dans une lettre adressée au Conseil de la Marine, en 1727 ou en 1723 comme l'indique l'abbé Lecomte. En revanche, on sait que de Clieu était le neveu du comte de Maurepas, ministre de la Marine en 1723 et l'on peut penser que pour cette raison il fut chargé d'accompagner le jeune caféier envoyé à la Martinique, car le Régent s'intéressait beaucoup à cette question. On sait aussi qu'en 1726 il existait de nombreux caféiers à la Martinique, mais sans avoir d'indication sur leur origine. Il existe divers témoignages comme celui du P. Le Breton, missionnaire à la Martinique qui publiait en mai 1726, dans *le Journal de Trévoux*, les informations suivantes: "un de mes amis me fit présent, il n'y a pas encore deux ans de quelques fruits mûrs de *caffé* nouvellement cueillis dans cette île.. j'en sauvai quatre... ils ont commencé à fleurir vers le quinzième mois... la hauteur des plantes passe six pieds..." Si l'on fait un rapide calcul, il y aurait donc eu à la Martinique près de quatre ans auparavant, vers 1722, des caféiers déjà en état de produire?

Un autre missionnaire, le père Labbat, rapporte dans son *Nouveau Voyage aux Isles d'Amérique* "qu'en 1726, Blondel-Jouvancourt, intendant du Roi, s'étant trouvé chez Monsieur de la Guarrigue-Survillié, colonel des milices de la Cabesterre, constatait l'existence chez cet officier, à Sainte-Marie de la Martinique, de neuf caféiers en fleurs et en fruits". Monsieur Blondel-Jouvancourt avait également fait savoir dans un procès verbal daté de février 1726, qu'il existait encore à la Martinique "plus de deux cents arbres de cette force qui portent fleurs et fruits..." Mais il n'est fait aucune mention de de Clieu à cette occasion.

La seule pièce officielle concernant le chevalier et figurant dans le registre du conseil de la Marine indique la réception d'une lettre écrite par lui-même: lettre de de Clieu du 29 novembre 1727. "Monsieur de Clieu marque que la plantation de *caffé* à la Martinique tire son origine de l'arbre qu'il porta il y a six ans, qu'il avait eu du Jardin du Roy à Paris, et qui rapporta du fruit vingt mois après". Tout celà est bien troublant lorsqu'on pense que le café était cultivé chez les Hollandais d'Amérique depuis 1714 et qu'en décembre 1720, les onze arbustes cultivés chez Monsieur de la Motte-Aigron à Cayenne portaient déjà des fleurs et allaient bientôt donner des graines bonnes à être semées et qu'enfin Guyane et Antilles étaient en relations constantes.

De la Martinique, la culture du café allait envahir le Nouveau Continent. Celui-ci abrite maintenant les plus gros producteurs du monde. Cependant l'Amérique n'avait pas attendu de recevoir des plantes en provenance des Antilles pour connaître la boisson favorite des Turcs car plus de cent ans auparavant, exactement le 24 mai 1607, elle y était arrivée avec le fameux John Smith.

Ce jour-là, John Smith, dont le nom est lié à l'histoire des premiers Américains, débarquait dans l'estuaire de la rivière James et fondait Jamestown. Cet homme étonnant, né en Angleterre le 9 janvier 1579 à Willoughby dans le Lincolnshire, avait eu une jeunesse aventureuse avant de toucher les côtes du Nouveau Monde. Après quelques études au lycée et un court séjour chez Thomas Sendall, un marchand de Lynn auprès de qui il devait prendre le goût des voyages, il s'engage dans une guerre contre les Turcs. Fait prisonnier et envoyé à Constantinople auprès de la femme du pacha de Turquie, puis chez le frère de celle-ci, quelque part entre la mer Noire et la mer Caspienne, il se retrouve réduit en esclavage. Il réussit à s'échapper après avoir tué son maître Timor et finalement il regagne l'Angleterre en 1604, ayant connu chez les Turcs cette fameuse boisson qui faisait fureur au Moyen-Orient et qu'il allait apporter le premier, en Amérique.

En 1606, il propose ses services à la compagnie de Virginie créée l'année précédente à Londres et demande à participer à l'organisation de cette entreprise dans les colonies américaines. En décembre, il part avec cent quarante trois compagnons, répartis sur trois navires. Les futurs colons empruntent la route des Indes Occidentales passant par les Canaries et entrent dans la baie de Chesapeake le 26 avril 1607. Le 24 mai suivant, cent cinq d'entre eux seulement débarquent à Jamestown, les autres sont morts durant le voyage. Selon les instructions reçues avant leur départ, les arrivants choisissent un groupe de sept membres qui doit les diriger pendant la première année de leur établissement, John Smith fait partie de ce conseil. La petite colonie connait les pires difficultés et en sept mois, les deux tiers de ses membres meurent de maladie et de privations. Les survivants allaient constituer le premier peuplement permanent de Virginie.

Le café connait un grand succès un peu plus tard, vers le milieu du XVIIe siècle, dans la colonie hollandaise. La première province néerlandaise avait été créée en 1623. En 1626, les Néerlandais achètent aux Indiens l'île de Manhattan pour 24 dollars environ et y élèvent la ville de New-Amsterdam. En 1664, cédée aux Anglais, elle sera rebaptisée New-York. En 1643, Martin Krigier construit une taverne sur l'emplacement actuel de Broadway. La clientèle distinguée comptait parmi ses membres le gouverneur hollandais William Kieft qui avait établi son quartier général dans cette taverne. Au même endroit on construira plus tard le King's Arms.

Dans la période agitée qui précéda la révolution, l'établissemnt prit le nom de Burn's Coffeehouse, le café Burn. Les marchands s'y donnaient rendez-vous ainsi que les associations de "Liberty boys", les fils de la Liberté. C'est là que le 31 octobre 1765, on décida de ne plus importer de marchandises anglaises tant que la loi sur le timbre (*The Stamp Act*), instituée par le roi Georges III, ne serait pas abrogée. Cette loi très impopulaire taxait tous les actes publics, les annonces publicitaires, la presse, etc., dans les colonies anglaises. Deux cents marchands apposèrent leur signature au bas d'une réso-

lution dans laquelle ils se refusaient à payer des impôts qui n'avaient pas été votés par leur congrès. Cette controverse marquait le début d'une série d'évènements qui allait conduire à la guerre d'Indépendance quelques années plus tard. Pendant la Révolution, le café Burn fut occupé par le général anglais Gage et son état-major. Cet établissement demeura un café jusqu'en 1860, date à laquelle il fut vendu et transformé en dépôt.

Le café le plus célèbre de New-York fut sans doute la City Tavern qui existe encore sous le nom de Fraunces Tavern. Ancien hôtel particulier construit par la famille de Lancey au début du XVIIIe siècle, il demeura leur propriété jusqu'en janvier 1762, date à laquelle Samuel Francis ou Fraunces l'achète. Celui-ci transforme l'hôtel de Lancey en une taverne à l'enseigne de la Reine Charlotte, puis vend l'établissement en 1765. Il le rachète en 1770 et en fait un lieu recherché par différentes sociétés et de nombreuses personnalités. La chambre de commerce en particulier y tînt ses réunions mensuelles, à ses débuts. Cet homme surnommé parfois "Black Sam" devint le maître d'hôtel de Georges Washington en 1789.

Un autre café, le célèbre Tontine, ouvert en 1792, devient le siège de la bourse des marchands, *The Merchants Exchange*, lorsque cent vingt marchands se portent acquéreurs de l'établissement pour en faire un local réservé au monde du commerce. Ils fondent l'association Tontine où les hommes d'affaires se réunissent autour d'une tasse de café pour discuter de leurs intérêts ou de leurs projets, sans avoir à quitter les lieux. C'est là qu'est née la bourse de New-York qui devait y siéger jusqu'en 1827. Dans le premier contrat passé avec l'association Tontine, il était stipulé que l'établissement devait rester un café, ce qui fut respecté jusqu'en 1834. Après cette date une autorisation permit de louer l'immeuble pour y installer des bureaux. Ensuite la vogue des cafés diminue à New-York pendant toute la fin du XIXe siècle mais l'amour du café y demeura cependant très vif. Au début du XXe siècle, les cafés retrouvent une clientèle qui, en dehors des bureaux et des clubs, apprécie leur atmosphère tranquille favorable au repos et aux échanges d'idées autour d'une tasse de café.

Le début du XVIIIe siècle avait vu naître également de nombreux cafés à Boston et à Philadelphie. En 1620, cent vingt pélerins à bord du célèbre *Mayflower* avaient débarqué sur les rives de la rivière James et avaient établi la première colonie de Nouvelle Angleterre, nom général donné aux six états américains correspondant aux colonies anglaises fondées sur la côte, au XVIIe siècle. D'autres puritains chassés d'Angleterre les rejoignirent et en 1630, la ville de Boston fut édifiée et devint rapidement un centre commercial et intellectuel très actif qui entretenait d'étroites relations avec l'Angleterre, les Antilles et l'Afrique. La ville abrita très tôt un grand nombre de tavernes et de cafés; parmi ces derniers, le plus fameux, vers 1699, était le British Coffee House, le café anglais. Mais d'autres établissements étaient également très fréquentés comme l'Ancre, l'Ancre bleue, l'Arc en ciel, par exemple, qui existaient tous vers la fin du XVIIe siècle.

Plus tard, les cafés abritèrent les réunions de patriotes qui discutaient des graves problèmes du moment. Les colons ne songeaient pas encore à se séparer de l'Angleterre mais voulaient être reconnus comme citoyens à part entière et n'acceptaient pas que le parlement de Londres prennent des décisions les concernant, sans les consulter, au sujet

des taxes en particulier. En 1770, Londres supprime tous les impôts en litige mais conserve les droits sur le thé dont les colons faisaient une grande consommation. Les incidents entre colons et troupes britanniques se multiplièrent mais le plus célèbre fut la fameuse "partie de thé de Boston", du 16 décembre 1776. Ce jour-là, un groupe de colons, les "fils de la Liberté", déguisés en indiens, précipitèrent à l'eau toute la cargaison de thé apportée par les navires de la Compagnie des Indes, aux cris de "le port de Boston, une théière ce soir". Le thé fut déclaré "non patriotique" et l'Amérique adopta le café qui devint le symbole de liberté. Et depuis, le café n'a cessé d'être la boisson nationale des Américains, un café léger, torréfié clair, qu'ils boivent en abondance le matin, au cours de la journée et très souvent pendant les repas, mais non après, comme le font les Français, par exemple.

Au milieu du XVIIIe siècle, les cafés fleurirent également à Norfolk, à Chicago, à Saint-Louis, à la Nouvelle-Orléans, et partout ils étaient les endroits les plus agréables de la ville où se réunissaient intellectuels, artistes, hommes d'affaires et personnalités diverses. A la Nouvelle-Orléans le café avait connu le plus franc succès dès son arrivée, en particulier au Vieux Marché français où, le petit matin et jusqu'à midi, de nombreux vendeurs circulaient au milieu des étalages et servaient une clientèle hétéroclite où se côtoyaient des Européens, des Créoles et des Américains de toutes origines. Tout ce monde buvait le café debout dans les rues encombrées de ballots de marchandises au milieu d'une foule grouillante et malgré l'inconfort de cette situation les jeunes serveurs réussissaient

La torréfaction et l'emballage du café. © *Phot. The Bettmann Archive, New-York.* PAGE PRÉCÉDENTE: *gravure (1688?) d'après Dufour.* © *Phot. The Bettmann Archive, New York.*

à offrir un café brûlant, comme on l'appréciait, accompagné des meilleurs sucres de canne du pays. Après ses débuts folkloriques, de nombreux cafés élégants et confortables s'étaient installés dans le Vieux Carré.

Le café occupe une place très importante dans la cuisine américaine et on le retrouve, avec surprise parfois, dans certains plats où on ne s'attendrait pas à le voir figurer, comme dans le gigot au café où on saupoudre la viande frottée au préalable avec du citron et où on l'utilise dans la sauce d'accompagnement; ou dans un certain pâté au jambon où le glaçage est réalisé avec du sucre brun et du café très fort, aromatisé d'épices variées, de moutarde et de vinaigre. Bien entendu il entre dans la composition de nombreuses pâtisseries, gelées, sirops, glaces et sorbets, comme partout ailleurs.

On utilise actuellement beaucoup le café instantané, qui est né très tôt aux États-Unis, contrairement à ce que l'on pense parfois. Une première allusion au café soluble est faite dès 1838 lorsque le Congrès remplace par du café soluble la ration de rhum octroyée aux hommes dans la marine militaire.

En 1862, pendant la Guerre de Sécession, le café soluble revient à l'honneur car le Congrès autorise le ministre de la guerre à donner aux soldats, en plus de leur ration habituelle de café, un "extrait de café" (inventé peut-être par L.D. Gale) "sain, économique et d'un goût acceptable" et dont une bouchée valait, parait-il, "une demi-pinte de café fort".

En 1899, un chimiste japonais, le docteur Sartori Kato, fabrique un café soluble à Chicago et le vend pour la première fois, en 1901, à l'exposition Pan American de Buffalo.

En 1903, Kato fait breveter par les États-Unis un procédé de fabrication du café soluble.

En 1909, G. Washington lance sur le marché américain une poudre qui a conservé toute la saveur du café. Toute sa production sera réquisitionnée pour les troupes, pendant la Première Guerre mondiale. Pendant la Seconde Guerre mondiale il se passe la même chose, le marché du café soluble passe de 10 millions de livres avant 1940 à 257 millions entre 1942 et 1945.

LES CAFÉS DE LA NOUVELLE-ORLÉANS

La Nouvelle-Orléans fut fondée en 1718 par les Français, sous la direction de Bienville. Ils en firent la capitale de la Louisiane et la nommèrent ainsi en l'honneur du régent, le duc d'Orléans. Cédée à l'Espagne en 1762, puis rendue à la France en 1800, elle s'intégra aux États-Unis en 1803. La plupart des vieilles et superbes maisons qui bordent les rues du Vieux Carré, l'ancien quartier français, sont chargées de souvenirs car elles ont assisté à tous les évènements qui ont marqué la vie de cette ville unique sous la domination française et espagnole. Il existe encore des hôtels, des restaurants et des cafés qui ont vu le jour à la fin du XVIIIe siècle, bien que les grands incendies de 1788 et de 1794 en aient détruit un grand nombre. Certains d'entre eux furent très renommés.

LE MASPERO, au 440 Chartres street. Il n'y a sûrement pas une autre maison dans le Vieux Carré, plus chargée de souvenirs historiques que ce double édifice de briques situé à l'angle sud-est des rues Chartres et Saint-Louis où se trouve maintenant l'hôtel Royal Orléans, qui succéda au St-Louis, hôtel datant du XIXe siècle. De nombreux événements se déroulèrent dans ses murs solides depuis le jour où Don Juan Paillet en juin 1788 acheta les lots appartenant à Don Narciso Alva et fit construire, sur les ruines de la case du Senor Alva détruite par le grand incendie de cette année-là, une maison qui allait compter dans l'histoire de la ville. Bien que Juan Paillet en fut le propriétaire ainsi que de l'autre maison plus petite qu'il lui adjoignit, le bâtiment principal situé juste à l'angle de Charles street était connu sous le nom de Pierre Maspero, qui y installa un café et une bourse qu'on appela "La Bourse Maspero". C'est à la fin de 1814 que la maison du Senor Paillet devint vraiment célèbre.

A cette époque l'armée anglaise projetait de s'emparer de la vieille cité mais avant que le général Andrew Jackson (il devient le 7e Président des U.S.A., plus tard) ne se porte au secours des habitants de la Nouvelle-Orléans, ceux-ci avaient formé un Comité de Salut Public qui choisit la Bourse de Maspero comme quartier général. Grâce à l'action de ce Comité, les citoyens de la ville étaient prêts à la lutte quand le général Jackson arriva et triompha. C'est encore au Maspero qu'une foule indignée protesta violemment quand le général fut condamné à une amende d'une centaine de dollars par le juge Hall, pour avoir insulté celui-ci, semble-t-il. C'est aussi au Maspero que la première Chambre de Commerce de La Nouvelle-Orléans avait été créée en 1806. Paul Lanusse en était le président. Lorsque Pierre Maspero partit de l'autre côté de la rue pour ouvrir "la Nouvelle Bourse Maspero", l'ancien café fut loué à J. Broize qui y resta pendant une vingtaine d'années. Dans une partie du bâtiment Jo-

seph le Carpentier, un genre de commissaire-priseur, installa une salle de vente aux enchères. Plus tard ce café abrita une fabrique de cigares, puis une épicerie et finalement un débit de bière, juste avant la prohibition et à nouveau après.

LE GWATHMEY'S COFFE-HOUSE, 602 Conti street. A l'angle sud-ouest des rues Chartres et Conti, il existe également une ancienne maison qui date du temps ou la Nouvelle-Orléans était espagnole, sans que l'on sache la date exacte à laquelle elle fut bâtie. Cependant, d'après certains actes notariés retrouvés en très mauvais état, on estime que ses débuts remontent à la fin de l'année 1764. Il est probable qu'il fut reconstruit peu après le second feu de 1794. Dans les premiers temps de la domination américaine, c'était un rendez-vous populaire et là (à l'ancien N° 45 de Chartres street) John Gwathmey y tenait un célèbre café. En 1822, cet établissement devint la Maison des Marchands de Café; deux ans plus tard il fut rebaptisé Phœnix Oyster and Beafsteak House.

Au 910-921 Decatur street (l'ancienne rue de la Levée), un double magasin occupe l'endroit où se trouvaient autrefois deux cafés très connus. Le VEAU QUI TÈTE, qui de 1821 à 1825 était au N° 58 de l'ancienne rue de la Levée et LE CAFÉ DES RÉFUGIÉS qui servit de quartier général aux colons de Saint-Domingue après le soulèvement des noirs de l'île. On y rencontrait surtout des étrangers, des révolutionnaires, des flibustiers, des pirates, tous amateurs d'une boisson qu'on appelait "le petit goyave".

LE CAFÉ DEL AGUILA, au coin des rues Saint-Anne et Chartres. Il y avait là, vers les années 1820, un café populaire où l'on servait aux clients assis à de petites tables et qui jouaient aux dominos toutes sortes de boissons et particulier du café, du thé et du chocolat. Ce jeu est resté en vogue à La Nouvelle-Orléans jusqu'à nos jours. Ce café se trouvait sur le terrain de l'immeuble Pontalba construit au milieu du XIXe siècle.

AU BRÉSIL, UNE NOUVELLE PATRIE

On dit que le café est arrivé en 1721, à Bélem du Para, en provenance de Guyane, mais selon la tradition, le premier plan ne serait arrivé qu'en 1727, grâce à un officier brésilien, le lieutenant-colonel Francisco de Melo Palheta à son retour d'un voyage en Guyane française. La femme du gouverneur, qui sans doute n'avait pas été insensible à son charme, lui avait fait don avant son départ, d'un plant de café caché dans un bouquet de fleurs. C'était le plus précieux des cadeaux car l'on sait quelles difficultés avaient eues les Français pour se procurer quelques graines chez leurs voisins hollandais avant de pouvoir commencer à semer des caféiers sur leurs terres d'Amérique du Sud. Ce plant apporté à Belém du Para, dans le Nord du Brésil, allait permettre au pays de se lancer dans cette culture qui ferait bientôt de lui (y compris jusqu'à nos jours) le premier producteur de café du monde entier.

Lorsque le café arrive au Brésil, cette région appartenait aux Portugais depuis plus de deux cents ans et avait déjà connu plusieurs crises économiques. En effet, en 1500, partant de Lisbonne, le navigateur Cabral, entraîné trop loin vers l'ouest, avait touché une côte encore inconnue des Portugais par 17° de latitude sud, alors qu'il cherchait à rejoindre la route des Indes découverte par Vasco de Gama. Ayant fait une courte reconnaissance des lieux, Cabral avait continué sa mission après avoir informé le roi Manuel de sa découverte mais celui-ci ne s'y intéressa pas beaucoup, uniquement occupé par le pays des épices. Cabral venait cependant de donner à son pays un immense empire dans le Nouveau Continent. Pendant une trentaine d'années les rares Portugais qui occupaient la côté ne s'intéressèrent qu'au seul profit naturel qu'offrait ce pays: les grandes forêts d'arbres curieux appelés Braxil ou Brasil, ou encore Brésillet ou Brésil, dont le bois fournissait une teinture rouge très recherchée en Europe. Mais n'importe quel navigateur pouvait s'en procurer facilement auprès des indigènes en faisant du troc et quelques aventuriers français, en majorité de Honfleur et de Dieppe, profitèrent du relatif abandon du Brésil par le Portugal, trop occupé dans l'océan Indien, pour entretenir des relations suivies avec certaines tribus et même pour s'installer en différents points de la côte.

Vers 1530, le roi, tranquillisé du côté du pays des épices, songe sérieusement au Brésil. Les côtes sont explorées et le premier village est créé à Sao Vicente. En 1532, il fait partager le pays en donations ou régions, formant des bandes immenses séparées par les parallèles et ayant toutes une façade sur la mer. Il les confie à des capitaines-donataires pour les faire exploiter et leur donne le droit d'utiliser les Indiens comme esclaves. Les capitaines-donataires accordent des concessions héréditaires aux planteurs, contre de faibles redevances. Les nouveaux propriétaires ayant de la main-d'œuvre à leur entière disposition ne se contentent pas longtemps de l'exploitation des forêts et se lancent dans les grandes cultures, en particulier celle de la canne à sucre que les Portugais avaient déja acclimatée dans certaines îles de l'Atlantique. Martin Alfonso de Souza installe le premier moulin à sucre - l'engenho - en 1532 dans la capitainerie de Sao Vicente. Les ruines existent encore.

Chargement des sacs de café du Brésil sur un camion et, à gauche, sur un cargo. © *International Coffee Organisation.* PAGE PRÉCÉDENTE: *publicité américaine du début du siècle.* © *CDG / Uncle Sam.*

Le café en Amérique du Sud

   Cependant l'heure du café allait sonner. Pendant plus de cinquante ans la plante était restée cantonner dans le Para mais, profitant du développement extraordinaire de la région de Rio de Janeiro, elle avait émigré près de Rio vers 1760, grâce au conseiller à la cour d'appel Joâo Alberto Castelo Branco. (Certains pensent qu'un moine l'avait apportée seulement en 1773.) Dans un premier temps, les plantations se développent autour de la baie grâce aux plants et aux semis fournis par le premier centre créé à cette intention à Rio. Ce genre de culture, qui exige une forte main-d'œuvre pour assurer le défrichage, les semis, l'entretien et la récolte, demande peu de capitaux, contrairement aux exploitations sucrières et convenait à un grand nombre de petits propriétaires pas très fortunés, les *sitiantes*. Ces pionniers dynamiques réussirent, par des mariages entre voisins, à se grouper pour mieux exploiter leurs terres, face aux riches et grands proprié-

Le café au Brésil

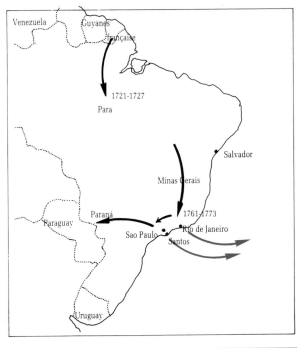

taires, les *fazendeiros*. Puis ce qu'on appelle "la vague verte" suivit deux directions dans l'état de Rio, l'une vers le nord-est et l'autre au nord. La pénétration ne se fit que beaucoup plus tard vers l'est. "Tout l'état actuel de Rio se couvrit de caféiers. Les terres rouges de la vallée du Parayba, où les gelées sont inconnues, constituent des sols merveilleux".

La première grande exploitation ne date cependant que de 1815 lorsqu'un colon belge, Nocke, installe une plantation modèle près de Rio de Janeiro. Cette ville était devenue la capitale du Brésil en 1763, au moment où le cycle de l'or atteignait son apogée, et de-

vait le rester jusqu'au 16 avril 1960. Jusqu'en 1860, la production ne cesse de s'accroître mais les esclaves vieillissent et leur nombre diminue. Puis diverses maladies frappent les caféiers et les catastrophes se multiplient après 1870. Les plantations sont ravagées à plusieurs reprises par des fourmis et des sauterelles, et le déboisement, qui transforme les conditions climatiques, provoque la sécheresse. D'autres difficultés surgissent encore avec l'affranchissement des esclaves. Dans un premier temps, les enfants nés après la loi de 1871 devinrent libres; puis la loi de 1885, dite "loi des sexagénaires" affranchit tous les adultes de plus de soixante ans. Enfin, celle du 15 mai 1888 décrète l'émancipation de toute la main-d'œuvre esclave.

Dans la période 1880-1890, la prépondérance de Rio diminue car l'abolition de l'esclavage a porté un grand coup aux producteurs de café, en augmentant singulièrement le coût de la production. De plus les terres commencent à s'épuiser. Après avoir tenu la première place pendant trois-quarts de siècle, Rio va être dépassée par Sao Paulo. Cette ville fondée en 1554, avant Rio, se trouvait à 50 kilomètres de la côte, au-delà de la chaîne côtière, sur un plateau de 800 m d'altitude, au climat sain.

Le deuxième cycle du café va commencer. Il avait pénétré dans l'état de Sao Paulo vers la fin du XVIIIe siècle, probablement vers 1790-1797. Dès 1817, il s'était implanté en de nombreux endroits où il avait trouvé de grandes étendues de terres vierges, magnifiques, bien que soumises au gel certaines années. Repartant de là, le café avait atteint le Minas

Surveillant d'une plantation brésilienne donnant ses ordres. © *Coll. Sirot-Angel.*
PAGE PRÉCÉDENTE: *paysage brésilien avec plantation de café, tableau de Frans-Jansz Post (1612-1680), Musée de Saõ Paulo.* © *Giraudon.*

Gerais et le Paraná qui possède actuellement les plus grandes caféières du pays. Une voie ferrée reliant Sao Paulo à Santos sur la côte permettait à ce port d'expédier directement tout le café produit par la région. De plus, de nouvelles plantations s'installèrent le long des voies. Jusqu'alors il fallait porter le café à dos de mules depuis les plantations jusqu'à la mer mais chacune des bêtes ne pouvait être chargée que d'une centaine de kilogrammes (8 arrobes de 12 kg environ) et les convois mobilisaient beaucoup de main-d'œuvre. Ces frais d'expédition représentaient le tiers de la valeur du café. A partir de 1855, le transport devient plus facile et moins onéreux puisqu'il suffit désormais de quelques bœufs attelés à des chariots pour conduire la récolte jusqu'à une gare voisine.

L'État de Sao Paulo, qui avait tardivement commencé l'exploitation du café, employait des moyens différents de ceux qui étaient habituellement pratiqués. En particulier, au lieu de compter uniquement sur le travail des esclaves comme l'avaient fait les planteurs de canne et les premiers planteurs de café, l'état avait au contraire fait appel à une main-d'œuvre libre, étrangère et brésilienne. De nombreux Italiens en particulier, s'embauchèrent sur les nouvelles plantations. Des Brésiliens des régions en déclin, puis des esclaves libérés les rejoignirent. D'autre part, les planteurs avaient adopté très tôt un outillage moderne, et possédaient des dépulpeurs et des machines à décortiquer. Sao-Paulo allait récolter 120 000 sacs de café (chaque sac pèse 60 kg) en 1881, 3 000 000 en 1892 et 15 400 000 en 1906. Le Brésil allait bientôt produire des quantités incroyables de café qui dépassaient souvent les besoins du marché. En 1929, une crise économique très grave frappe le pays. La superproduction de café amène les planteurs à brûler des stocks considérables de "fèves": on s'en sert pour alimenter les locomotives. Le gouvernement rachète les excédents puis il doit cesser ses paiements. Seul le café de qualité supérieure est désormais stocké et le reste est détruit. Ainsi, entre le 1er juillet 1931 et la fin 1944, 48 millions de quintaux de "fèves" seront brûlés ou noyés.

Actuellement, le Brésil est toujours, de loin, le premier producteur du monde et fournit presque la moitié de la quantité consommée sur tout le globe. La culture du café concerne dix-sept états; les principaux producteurs sont: le Paraná, qui donne à lui seul le quart de la production brésilienne, bien qu'en 1975 la moitié des caféiers aient été détruits par la gelée; la région de Sao Paulo et son port Santos ainsi que le Minas Gerais qui exporte sa production par Rio de Janeiro. Le "Café national" - *Coffea arabica L.* variété *typica Cramer* - a été le premier cultivé au Brésil. On le trouve encore dans l'État de Sao-Paulo et il prédomine dans bien d'autres États.

Négociants indonésiens testant des "cerises" de café à Sumatra. © International Coffee Organisation.

Bordée par l'Atlantique au sud, le Libéria et la Guinée à l'ouest, le Ghana à l'est, le Mali et le Burkina-Faso au nord, la Côte-d'Ivoire possède une côte basse et sablo-neuse et un arrière-pays assez plat qui s'élève légèrement vers le nord et surtout à l'ouest, dans la région de Man.

Le climat subéquatorial sur la côte, avec des pluies très abondantes, se modifie peu à peu en allant vers le nord, pour devenir tropical. La moyenne annuelle des températures se situe entre 24° et 27° et les écarts sont faibles entre les saisons. Toutes ces conditions géographiques sont favorables à la culture du café. La moitié sud du pays abrite la zone forestière qui a été exploitée, puis défrichée en grande partie pour accueillir les cultures industrielles, en particulier le café, le cacao et l'ananas qui peu à peu sont remontées jusqu'aux limites de la savane.

Le café a connu une croissance fantastique depuis son introduction vers 1880 et sur-tout après 1925. Vers le milieu du XIXe siècle, les Pères de la Mission de Tabou, située près de la frontière du Libéria, à 660 km à l'ouest d'Abidjan s'étaient mis à cultiver dans leurs jardins quelques pieds de café: *Coffea liberica Hiern*, originaire du Libéria voisin mais qui existait aussi en Sierra Leone, en Angola, au Congo et au Gabon. En 1881, un commerçant, Mr Verdier, qui possédait d'anciens comptoirs en très mauvais état à As-sanie et à Grand-Bassam, fait restaurer quelques forts abandonnés puis noue des contacts avec les notables de la régions et obtient une concession du chef de Krijabo, dans le pays de Sanwi.

Il se procure des plants de café venant du Libéria, encore inconnus dans cette région, puis installe la première plantation de Côte-d'Ivoire à Elima, sur les bords de la lagune Aby, dans le prolongement de la lagune Ebrié, à l'est du pays et crée la compagnie de Kong. Les premières récoltes sont exportées vers la France par le port d'Assinie, aujourd'hui disparu après avoir été longtemps une importante escale commerciale. De grandes sociétés agricoles, comme la société des Planteurs Réunis de l'Ouest africain (S.P.R.O.A.) sont créées au temps de la colonisation mais à côté de celles-ci se maintiennent aussi de nombreuses petites plantations indigènes, en particulier dans la région d'Agboville et par exemple en 1934 sur les 30 000 ha réservés au café et au cacao, 6 000 appartiennent à des Africains.

A partir de 1925-1930 le *Robusta*, une variété de *Cofféa canephora Pierre*, originaire du Congo français, est introduit en Côte-d'Ivoire et remplace peu à peu les autres cafés, surtout après la fin de la Seconde Guerre mondiale, car il résiste bien aux maladies.

Actuellement le *Robusta* représente 98% de la production caféière ivoirienne mais de-puis quelques années l'*Arabusta (Coffea arabusta Capot* et *Aké)*, hybride créé par l'I.F.C.C. (Institut français du café et du cacao) entre 1960 et 1970, est cultivé pour ses qualités aromatiques, qui le font spécialement apprécier dans la fabrication du café lyophilisé, et pour sa résistance à la sécheresse. On traite le *Robusta* par la méthode sèche et l'*Arabusta* par la méthode humide. Les cerises sèches sont dirigées vers les usines de décorticage, nombreuses dans le pays, en particulier vers Abidjan, Yamoussoukro et Bouaké.

Le triage mécanique et électronique effectué surtout dans les ports d'exportation, prin-cipalement à Abidjan et à San Pedro, permet de livrer au commerce des cafés prêts à l'ex-

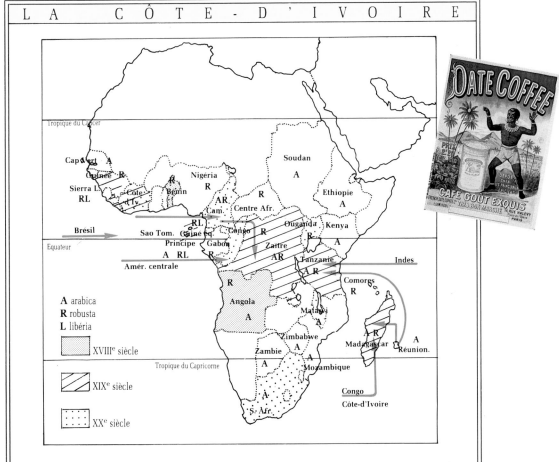

Le café en Afrique

portation. De plus, trois usines de torréfaction et une fabrique de café soluble, qui peut traiter 30 000 tonnes de café vert par an, mettent le café au deuxième rang des industries alimentaires de transformation, après celles de l'ananas. Le café est néanmoins la principale source de revenus du pays bien que cette culture soit concurrencée par le cacao, plus rentable pour les fermiers.

Actuellement, la Côte-d'Ivoire est le premier producteur africain, et mondial pour le *Robusta* et arrive au 3e rang derrière le Brésil, la Colombie et presque à égalité avec l'Indonésie. Après avoir produit 500 tonnes de café par an à ses débuts, puis 10 000 en 1913, 56 000 en 1950, 200 000 vers 1980, la Côte-d'Ivoire en fournit presque 280 000 tonnes actuellement. La consommation locale s'intéresse principalement au café soluble et est encore très faible mais le comité de Propagande pour le café espère la voir augmenter sensiblement et régulièrement. La France est le principal importateur de café vert de Côte-d'Ivoire avec plus de 100 000 tonnes par an mais le pays a conclu également de nombreux marchés concernant le café soluble avec plusieurs régions d'Afrique et d'Europe occidentale, le Japon et les États-Unis.

Le café est présent également dans les républiques socialistes, en particulier en R.D.A., en Hongrie et en Yougoslavie. En 1979, les consommations de ces pays étaient respectivement de: 3,6 kg, 3,5 kg et 2,9 kg par an et par habitant. En U.R.S.S., le plus vaste des pays socialistes, le thé est la boisson nationale mais il existe un grand nombre d'amateurs de café, bien que les quantités importées soient très au-dessous des besoins du pays.

Avant la guerre de 1914-1918, l'empire russe recevait plus de 400 000 sacs de 60 kilogrammes de café vert chaque année. Puis le café disparut complètement jusqu'au milieu des années 1950-1960. Ensuite les achats reprirent et, en 1980, on importait plus de 72 000 sacs. On prévoit que le 12e plan permettra de recevoir désormais plus de café pour tous grâce aux futures productions du Viêt-nam et à la création de plantations en Union Soviétique. En effet, à l'été 1987, des accords ont été signés entre le Viêt-nam et Moscou concernant une coopération agricole jusqu'en l'an 2000. Des plantations sont prévues au Viêt-nam avec des contrats d'exportation vers l'Union Soviétique. D'autre part, une caféière expérimentale a été créée en Asie centrale soviétique où les graines peuvent mûrir pendant la saison chaude. D'après les résultats obtenus, la culture du café n'est plus qu'une question de temps.

En attendant, l'Union Soviétique reçoit du café de Colombie, du Brésil et d'Indonésie. On achète un peu de café en grains que les magasins broient à la demande du client car les appareils domestiques sont assez rares et il est plus pratique de disposer de café moulu, mais on emploie davantage de café soluble. Le café est distribué dans les magasins publics de ravitaillement où très souvent il faut faire la queue, à moins d'appartenir à certains groupes privilégiés qui, eux, ont droit à des distributions privées. Cependant, dans les républiques baltes tout le monde boit du café à tout moment de la journée et les boutiques en sont généralement bien pourvues tandis que dans le sud, le café est le plus souvent absent. On peut ajouter que, comme partout ailleurs, les intellectuels des grands centres, Moscou, Leningrad, Kiev, etc. sont de réels amateurs de café et que parmi les dizaines de millions d'individus qui fréquentent les cantines, les usines ou les administrations beaucoup d'entre eux troqueraient sans doute la traditionnelle tasse de thé qui leur est proposée après le déjeuner contre une tasse de café si celui-ci leur était offert dans les mêmes conditions. Pour le moment la consommation moyenne est très faible (0,6 kilogramme par an et par habitant) et le café très cher: le prix d'un kilogramme de café représente à peu près 1/20e du salaire mensuel moyen d'un travailleur. Mais on peut espérer que les dispositions prises récemment par le gouvernement permettront au café de rattraper son retard.

Un café à Samarkand, Ouzbékistân, URSS. Phot. Elliot Ezwitt © Magnum. CI-CONTRE: *Plan de café colombien = certaines "cerises" n'ont pas atteint leur pleine maturité.* PAGE PRÉCÉDENTE: *affiche. © Musée de la Publicité.*

Sans aller jusqu'à dire, comme certains, que "le café fait rage au Japon" on peut cependant s'étonner du succès qu'il connait dans ce pays, depuis quelque temps. En effet il fait très bonne figure aux côtés du thé puisqu'il arrive en deuxième position derrière le thé vert et avant le thé noir et le lait. Les consultations entreprises par l'organisme du café au Japon font apparaître que la consommation du café, tant soluble que moulu, a triplé entre 1970 et 1984. En 1985, on estimait que 80% de la population buvait du café au Japon, contre 77% en 1980. On est passé à une moyenne générale de 7,4 tasses par semaine en 1980, à 9,02 tasses en 1985. Le Japon utilise du café soluble, du café moulu et du café en boîte et le nombre de ceux qui ont adopté cette présentation originale augmente légèrement, mais régulièrement depuis 1983, en particulier chez les jeunes femmes. Le café moulu est surtout utilisé pendant les moments de repos ou de moindre activité: la pause, les vacances, les repas, tandis qu'on emploie le café soluble dans toutes les circonstances où il faut "faire vite", le petit déjeuner par exemple. Le café en boîte est plutôt consommé à l'université, sur les lieux de travail, dans la rue ou en faisant les courses.

On constate que l'on boit davantage de café noir actuellement qu'il y a quelques années et l'habitude de mettre du sucre et de la crême se perd un peu car on apprécie de plus en plus les cafés doux, parfumés et pas très forts, style "café américain" (1,12 g de café soluble pour 100 cm^3 d'eau; 4,49 g de café moulu pour 100 cm^3 d'eau). On reconnait à cette boisson diverses qualités, en particulier celle d'aider à supporter la vie moderne, peut-être spécialement contraignante dans ce pays, bien que certains lui reprochent de nuire à la beauté de la peau féminine. Cependant, en général, les gens et surtout les jeunes ont une bonne opinion du café. La vente du café grillé augmente régulièrement tandis que celle du café soluble stagne un peu. En 1981, on vendait trois fois plus de café soluble que de café grillé. Actuellement, café grillé et café soluble sont à égalité.

Il y a quelques années on buvait du café presque uniquement dans les *Kissatens* (cafés) qui étaient seuls capables de fournir régulièrement du bon café. Leur grand mérite est surtout d'avoir donné l'habitude à beaucoup de Japonais de boire du café tous les jours. Depuis peu la fréquentation des *Kissatens* diminue légèrement car on boit plus de café à la maison qu'autrefois. Cela vient du fait qu'il est désormais aisé de se procurer du café grillé de bonne qualité dans les supermarchés et aussi que l'usage des machines à café domestiques s'est répandu.

Quant aux boîtes métalliques que l'on trouve dans les distributeurs automatiques de boisson comme la bière, le coca, les jus de fruits ou le thé, elles ont beaucoup contribué à la croissance du marché du café. En 1984, on en a vendu 123 millions, 160 en 1985 et sans doute 180 en 1987. Plus de quinze chaînes de vente distribuent ce café en boîte et d'autres espèrent pouvoir les rejoindre prochainement. 70% de cette fabrication est réalisée par quatre grandes firmes: U.C.C., Georgia, Daito et Pokka qui offrent les meilleures qualités de café comme le Blue Mountain de Jamaïque, sous des présentations différentes. On peut le choisir sucré ou non, nature ou additionné de lait et même chaud ou froid. Les distributeurs offrent le grand avantage de pouvoir être installés partout car ils ne prennent que très peu de place mais on peut aussi se procurer ces boîtes de conserve dans les magasins de détail où l'on trouve également des barils de café préparé, ainsi que du café mis en boîte de carton comme le lait. Enfin, le café glacé est devenu très populaire: on le boit aussi bien l'été que l'hiver. Bien entendu on en servait auparavant dans les *Kissatens*, qui utilisaient le café en grains grillé pour le faire, mais maintenant ce genre de boisson est fabriqué dans certaines usines qui le livrent tout spécialement aux "restaurants rapides". Ce type de café qui a le mérite d'être pratique, prêt à boire, et de goût régulier est vendu en bidon de 3 litres ou en boîte en carton de 1 litre; généralement il est sucré d'avance.

Le marché du café a connu un essor spectaculaire depuis 1970 et il est difficile d'imaginer que cette croissance puisse se poursuivre sur le même rythme pendant les dix ans à venir. Il semble plus raisonnable de compter sur une progression modérée à moins qu'une trouvaille exceptionnelle ne vienne révolutionner le monde des buveurs de café comme le fit l'apparition de ce produit en boîte, dans les distributeurs automatiques, il y a une quinzaine d'années.

THÉRAPIES JAPONAISES

Un peu d'air frais à Tokyo! Une photo reproduite dans le Time *du 27 novembre 1987 montre quelques jeunes femmes dans un "bar à oxygène" approchant de leur nez une sorte de grosse bulle transparente qui renferme de l'oxygène "nature" ou parfumé à la menthe ou au café. Trois minutes d'une telle inhalation coûte 40 pences et donnent un coup de fouet nécessaire dans cette capitale si polluée.*

Une autre utilisation étonnante du café: un bain de café! L'auteur de l'article - Ethel
A. Starbird - *se retrouva avec plusieurs autres personnes plongées jusqu'au cou, on peut même dire jusqu'au menton, dans un grand bassin peu profond, rempli d'un liquide noirâtre et fumant dans lequel elle séjourna une trentaine de minutes (pour moins de 10 dollars) avant de ressortir, très amollie, dit elle. Cette bouillie chaude de café moulu a des vertus thérapeuthiques nombreuses, semble-t-il, mais l'auteur ne précise pas lesquelles, et elle ajoute qu'elle n'a pu en apprécier les effets, ne l'ayant pratiquée qu'une seule fois...*

De la Plante au Grain Torréfié

Nous avons parlé jusqu'ici de café sans donner plus de précisions. A l'origine il s'agit de la graine du caféier qui, après de nombreuses manipulations, a pris l'aspect que nous lui connaissons. Les caféiers sont des plantes franchement tropicales qui se plaisent dans toutes les régions chaudes et humides du globe, situées de part et d'autre de l'équateur, entre le 28° de latitude de nord et le 30° de latitude sud.

Cependant ils craignent le soleil ardent et les vents violents dont il faut parfois les protéger. On plante à cet effet des arbres d'ombrage appartenant à la famille des Légumineuses. Selon les espèces et les pays, certains caféiers poussent au niveau de la mer, d'autres en altitude moyenne. Pour les mêmes raisons on les trouve sur des sols très différents: volcaniques comme au Brésil et au Cameroun, argilo-siliceux comme en Côte-d'Ivoire, alluvionnaires comme à Madagascar, etc... Les plantations sont souvent établies à la place de la grande forêt qui a été défrichée à cette intention. Les graines extraites du fruit mûr sont confiées au sol. Elles germent en six à huit semaines et un mois plus tard on voit apparaître les deux premières feuilles. Les jeunes plants sont repiqués avec précaution, souvent par touffes de trois ou quatre individus, à des intervalles qui varient entre trois et cinq mètres, en tous sens. S'ils sont suffisamment arrosés et bien protégés du soleil, ils atteignent un développement convenable entre six et huit mois.

BOTANIQUE

Le caféier appartient à la famille des Rubiacées (comme le gardénia, le quinquina, le gaillet, la garance) et au genre *Coffea*. Il en existe une soixantaine d'espèces dont les plus cultivées dans le monde sont:

• *Coffea arabica Linné*, originaire des monts d'Abyssinie et ses nombreuses variétés, cultivé en Amérique du Sud, en Amérique Centrale, aux Iles de la Sonde et dans quelques pays d'Afrique.

• *Coffea canephora Pierre*, de "basse altitude" qui dérive de populations spontanées. La variété *robusta* est surtout cultivée en Afrique, aux Indes, en Indonésie et en Océanie. Cependant d'autres espèces sont aussi exploitées mais plus modestement: *Coffea liberica, Coffea eugenoïdes, Coffea stenophylla, Coffea congensis, Coffea excelsa*.

COFFEA ARABICA L. fut dénommé ainsi par le naturaliste Linné bien qu'il ne soit pas originaire d'Arabie. La confusion venant du fait que ce pays en était le seul fournisseur à cette époque et aussi parce que ce fut la seule espèce cultivée jusqu'en 1865. C'est l'espèce la plus répandue dans le monde et ses variétés sont très nombreuses. Originaire d'Abyssinie, elle existe cependant à l'état sauvage en d'autres régions africaines qui furent explorées tardivement au XIXe siècle, comme le Soudan, la Guinée et le Mozambique.

Cet arbuste assez grêle peut atteindre huit à dix mètres de hauteur et porte des rameaux à demi-redressés dans leur jeune âge et plongeants à l'âge adulte:

Les feuilles vertes, luisantes et comme vernissées, persistantes, opposées, gaufrées, à bords ondulés, sont elliptiques et se terminent par une pointe fine. Les nervures, prin-

---

Caféiers de Côte-d'Ivoire. © *International Coffee Organisation.* CI-CONTRE: *nettoyage et entretien d'une plantation en Colombie.* © *International Coffee Organisation.*

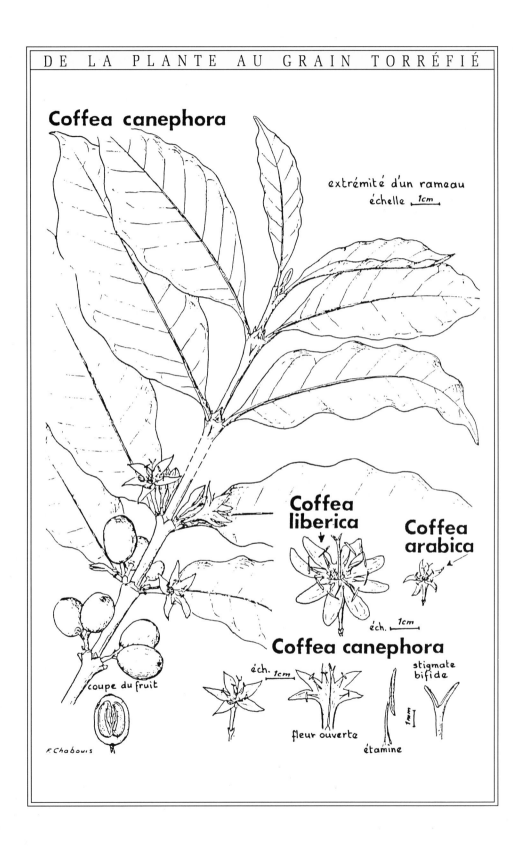

Coffea canephora

extrémité d'un rameau
échelle 1cm

Coffea liberica

Coffea arabica

Coffea canephora

coupe du fruit

éch. 1cm

éch. 1cm

fleur ouverte

étamine

stigmate bifide

F. Chabouis

cipale et secondaires, sont très apparentes. Elles mesurent de 8 à 20 cm de longueur et de 3 à 7 cm de largeur.

Les fleurs, très nombreuses, d'un blanc pur ou parfois rosé, petites et à odeur suave de jasmin sont groupées par touffes de 4 à 18 à l'aisselle des feuilles. Elles sont très éphémères: épanouies au lever du jour, elles sont fanées le soir même mais l'arbuste refleurit deux ou trois fois par an. L'arbuste porte ses fleurs et ses fruits en même temps.

Les fruits apparaissent dans la quatrième année qui suit le semis et sont mûrs huit à dix mois après la floraison. Ce sont des drupes ovoïdes (fruit charnu dont l'endocarpe

lignifié forme un noyau comme chez la cerise, l'olive, l'abricot, la prune...), vertes au début puis jaunes et enfin rouge vif et même grenat très foncé au stade de maturation avancée. Elles mesurent de 1,6 cm à 1,8 cm dans leur grand axe et 1 cm à 1,5 cm dans l'autre. Elles présentent deux loges séparées, renfermant chacune une graine convexe extérieurement avec une face plane, creusée d'un sillon vers l'intérieur (le futur grain de café du commerce). La drupe, qui ressemble un peu à une cerise, du moins extérieurement, est entourée d'une peau lisse à pellicule rouge, l'exocarpe, très résistante chez *Coffea liberica* et *C. arabica* et encore plus chez *C. canephora* variété *robusta*. Cette pellicule recouvre une pulpe jaunâtre ou verdâtre, le mésocarpe, riche en sucres et en pectines mais surtout en eau - de 70 à 85%. Pour 100 kg de cerises, la pulpe représente 50 à 60% chez *C. robusta* et 45 à 65% chez *C. arabica*. Elle adhère à une paroi dure et cellulosique la "parche" ou endocarpe, récupérée parfois pour être utilisée comme combustible. L'ensemble constitué par la pellicule extérieure, la pulpe et la parche forme la coque qui sera

Vastes plantations de café sur les plateaux brésiliens. © *International Coffee Organisation.*

101

éliminée pour recueillir les deux graines ou fèves accolées par leur face plane. Celles-ci sont recouvertes d'une "pellicule argentée" très mince, le spermoderme et renferment l'embryon (germe) noyé dans les cellule à réserves de la graine où se trouvent environ 50% de glucides, 10% de lipides, 11 à 15% de composés azoté, les vitamines E et PP, etc.

Ces caractères botaniques se retrouvent dans les nombreuses variétés existantes qui sont issues de croisements naturels entre les variétés *typica* et *bourbon*: *typica*, provenant de la lignée du plant introduit à Amsterdam par les Hollandais; *bourbon*, du plant apporté à la Réunion, directement du Yémen.

COFFEA ARABICA L. est connu en Europe depuis la fin du XVIIe siècle, comme nous le savons. Cultivé par les Hollandais à Java, puis à Sumatra et Ceylan, il a pratiquement disparu de l'Asie méridionale depuis sa destruction en 1877 par une maladie, la "rouille" due à un champignon parasite, *Hemileia vastatrix,* et a été remplacé par *C. liberia* et *Coffea canephora P.* dont la variété la plus connue est *robusta.* Au contraire, *C. arabica* a trouvé une aire propice dans le Nouveau Monde, car ce continent est resté jusqu'ici à l'abri de *Hemileia vastatrix.* Les plus gros producteurs du globe, Brésil et Colombie, appartiennent à ce continent.

COFFEA CANEPHORA PIERRE, originaire du Congo, est la deuxième espèce cultivée, la plus répandue dans le monde après *C. arabica*, en particulier la variété *robusta*. Très voisin de l'*arabica* il présente toute une série de variétés. Cet arbuste robuste, aux rameaux longs et flexibles atteint naturellement de 8 à 15 m, mais il est souvent raccourci pour la commodité de la cueillette. Les feuilles persistantes, elles aussi, mesurent de 15 à 25 cm de long et de 5 à 12 de large. Les fleurs, très nombreuses, groupées par touffes de 40 à 60 individus donnent des fruits un peu plus petits que ceux de l'*arabica*. Ce caféier très vigoureux résiste bien aux maladies cryptogamiques et en particulier à *Hemileia*. Un croisement de *Coffea arabica* et de *Coffea canephora* variété robusta a donné l'*Arabusta*, créé par L'IRCC (Institut de Recherche du Café et du Cacao et autres plantes stimulantes). Plus précoce et plus productif que ses "parents", il résiste mieux qu'eux à la sécheresse.

PAGE DE GAUCHE:
Dans les "nurseries"
brésiliennes, les jeunes
plants font l'objet de
soins constants; en bas à
droite, plants adultes en
Indonésie. ©
International Coffee
Organisation.

CI-CONTRE:
Rameau de caféier.
© *Phot. Jacobs Suchard*
Museum.

QUELQUES VARIÉTÉS D'ARABICA

C. arabica variété *typica*: introduite au Brésil après le passage par la Guyane française; est à l'origine des caféières brésiliennes.

C. arabica var. *marella*: provenant d'une mutation de la variété *typica*, fruits jaunes, curiosité botanique.

C. arabica var. *maragogype*: variété caractérisée par ses très gros fruits et grains; considéré comme un mutant.

C. arabica var. *Bourbon*: diversement appréciée; distribuée un peu partout dans le monde à partir de la Réunion, elle est à l'origine de nombreuses plantations brésiliennes. Croisée avec une variété importée de Sumatra, elle aurait donne naissance au *Mondo Novo* séléctionné pour sa robustesse et sa productivité.

C. arabica var. *Laurina*: connue sous le vocable de *Bourbon pointu* et réputé pour la qualité de sa liqueur.

C. arabica var. *mokka*: fèves petites, liqueur de haute qualité; peu cultivé.

C. arabica var. *caturra*: arbuste de petite taille, très feuillu; supplanté par le *Mondo Novo*.

QUELQUES VARIÉTÉS DE CANEPHORA

Contrairement à *l'Arabica*, *C. canephora* est allogame c'est à dire auto-stérile; il est donc utile d'avoir au moins 2 arbustes pour assurer une fructification.

C. canephora variété *robusta*: variété la plus représentée de l'espèce notamment en Afrique (Côte-d'Ivoire, Cameroun, Ouganda...) en Asie (Indonésie, Indes...)

C. canephora var. *kouillou*: fruits et grains plus petits (Côte-d'Ivoire, Congo, Gabon, Madagascar, "Petit Indénié")

C. canephora var. *Niaouli*: fruits et grains petits; fructifie en continu d'où le développement du scolyte (parasite).

AUTRES ESPÈCES CULTIVÉES

C. libérica: atteint 15 à 18 m à l'état naturel; feuilles grandes et larges, gros fruits à exocarpe épais et coriace, mésocarpe épais et ferme; grosses graines de 10 à 12 mm de long, pellicule argentée adhérente. Boisson généralement peu appréciée.

C. abeokutae: petit arbre se rapprochant de *C. libérica*. Ses grains sont connus sous le nom de "Gros Indénié".

C. dewevrei: arbre de 15 à 20 m de haut à l'état sauvage, vigoureux et rustique à grandes feuilles (20 à 40 cm de long). La variété la plus connue est l'*excelsa* caractérisée par sa résistance à la sécheresse. La qualité de la boisson est assez pauvre.

Cueillette des "Cerises" mûres à Cauca, en Colombie.
© International Coffee Organisation.

RÉCOLTE

Les caféiers donnent généralement leurs premiers fruits quatre à cinq ans après le semis. Ils produisent en moyenne 2,5 kilogrammes de "cerises" par an, ce qui donnera environ 0,5 kg de café vert puis 0,4 kg de café grillé, soit quarante tasses de café à boire. Leur plein rendement se situe entre 8 et 10 ans et leur production diminue à partir de leur vingt-cinquième année. La cueillette, faite à la main, est un travail de patience souvent confié aux femmes et aux enfants. On récolte les "cerises" une à une, à mesure qu'elles mûrissent ou bien on les ramasse toutes en même temps, en passant la main le long des branches et en faisant tomber les fruits à terre. Ce dernier procédé, plus rapide, a de graves inconvénients car les fruits plus ou moins mûrs sont mêlés à des feuilles, des brindilles, des boutons de fleurs qu'il faut trier et éliminer. Les "cerises" sont ensuite traitées de façon à séparer les graines de café du reste du fruit. On emploie deux méthodes (voir schéma): la voie humide ou la sèche.

La *voie humide* donne un grain jaune clair très apprécié mais ne convient qu'aux "cerises" en pleine maturité. Elles s'applique plus spécialement aux *Arabicas* fins. Elle demande un matériel approprié et de l'eau propre en abondance. Sans leur laisser le temps de s'échauffer, les fruits mûrs sont versés dans de grands bacs capables d'en recevoir 1,5 à 2 tonnes à la fois. Ils sont lavés rapidement pour enlever le sable et les pierres, évacuer

La récolte du café à Java (Indonésie). © *Phot. The Bettmann Archive, New York.*

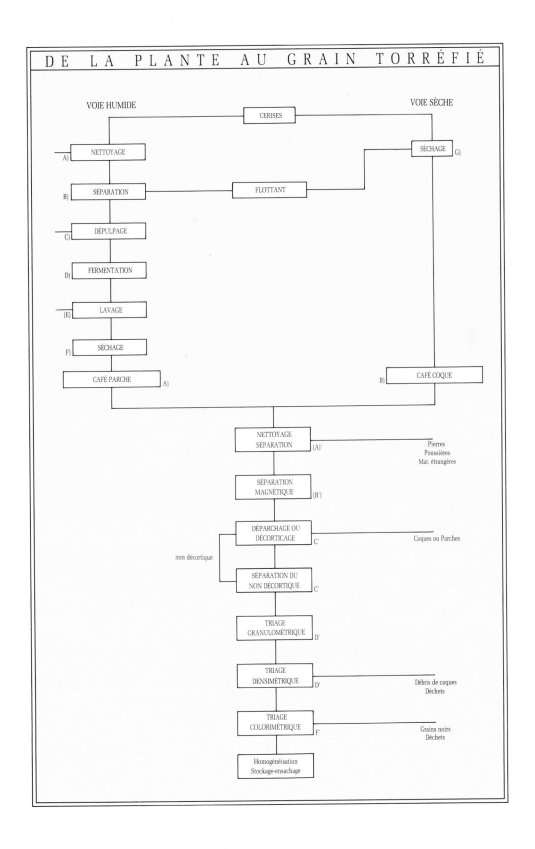

DE LA PLANTE AU GRAIN TORRÉFIÉ

VOIE HUMIDE   VOIE SÈCHE

CERISES

NETTOYAGE   A)

SÉCHAGE   G)

SÉPARATION   B)

FLOTTANT

DÉPULPAGE   C)

FERMENTATION   D)

LAVAGE   (E)

SÉCHAGE   F)

CAFÉ PARCHE   A)

CAFÉ COQUE   B)

NETTOYAGE
SÉPARATION   (A)'

Pierres
Poussières
Mat. étrangères

SÉPARATION
MAGNÉTIQUE   (B')

DÉPARCHAGE OU
DÉCORTICAGE   C'

Coques ou Parches

non décortiqué

SÉPARATION DU
NON DÉCORTIQUE   C'

TRIAGE
GRANULOMÉTRIQUE   D'

TRIAGE
DENSIMÉTRIQUE   D'

Débris de coques
Déchets

TRIAGE
COLORIMÉTRIQUE   F'

Grains noirs
Déchets

Homogénéisation
Stockage-ensachage

les branchettes et les feuilles et séparer les "cerises" flottantes et défectueuses (a et b). Les autres sont entraînées vers des appareils qui permettent le dépulpage (c) pendant lequel la peau est déchirée et une grande partie de la pulpe arrachée et enlevée sous un courant d'eau. C'est une opération délicate car la fève doit rester intacte pour bien se conserver. Il existe plusieurs modèles de "dépulpeuses", à disques horizontaux, à tambour, à rouleaux, etc. Les "cerises" sont ensuite mise en tas à l'abri du soleil, pendant plusieurs jours, sur le sol ou dans des bacs en ciment. Elles subissent ainsi une fermentation (d) qui fait disparaître ce qui adhérait encore à l'endocarpe. Un lavage (e) est effectué dans de grands réservoirs où circule de l'eau qui entraîne les dernières traces de pulpe. Ce lavage peut être manuel ou mécanique selon les exploitations. Après les avoir égouttés et séchés (f) on obtient des grains enveloppés de leur paroi cellulosique: c'est le café en parche (A) - à rapprocher du mot parchemin. On utilise parfois des centrifugeuses mais plutôt des tours d'égouttage (sorte de cages) ou des claies couvertes de toile de jute sur lesquelles on étale 10 à 15 kg de fèves au m², exposées au soleil pendant une quinzaine de jours. On a aussi recours au séchage artificiel.

La seconde méthode ou *voie sèche* est plus simple. On l'utilise partout où la main d'oeuvre est insuffisante et dans les petites exploitations. Les "cerises" mûres sont d'a-

Différents types de ceuillette: à gauche, à Java; à droite, en Colombie. © International Coffee Organisation. CI-CONTRE: le tri des "cerises" de café se fait encore souvent à la main: en haut, à Java; en bas, à Bengaloon en Indonésie. © International Coffee Organisation.

bord triées et lavées rapidement puis on les soumet au séchage (g). On peut pratiquer le séchage *naturel* par le soleil, qui se fait simplement sur terre battue, sur claies ou sur aires cimentées et dure de 2 à 3 semaines. Les "cerises", étalées en couche mince de trois à quatre centimètres d'épaisseur - pour éviter toute fermentation dans la masse qui entraînerait une coloration brune du grain - doivent être remuées très souvent pour empêcher les moisissures de s'installer et pour assurer une bonne ventilation. On peut aussi avoir recours au séchage *artificiel* utilisé en particulier dans les grandes exploitations où l'on emploie différents types de séchoirs: les séchoirs statiques, très rustiques, constitués par de simples claies en tôle perforée, disposées à un mètre environ au-dessus de tubes de fumées produites par un foyer quelconque, exigent une surveillance permanente. Les séchoirs avec brasseur d'air chaud, qui permettent à celui-ci de traverser toute la masse plus aisément grâce à des palettes. Les séchoirs rotatifs, très utilisés malgré un faible rendement. Les séchoirs verticaux, surtout employés dans les installations industrielles, etc... On obtient enfin des petits fruits ratatinés, comme des pruneaux secs, formés des graines enfermées dans la pulpe séchée. C'est le "café en coque" (B). Café en parche et café en coque peuvent être conservés pendant des années et s'améliorent en vieillissant. Ils vont subir encore de nombreuses manipulations avant d'être livrés au commerce.

Un nettoyage (a'', b') débarrasse d'abord le café en parche et plus encore le café en coque

A Saõ Paulo, séchage des "cerises": pour ne pas pourrir, elles doivent être remuées périodiquement (à gauche); à droite, lavage des "cerises" à Java. © International Coffee Organisation.

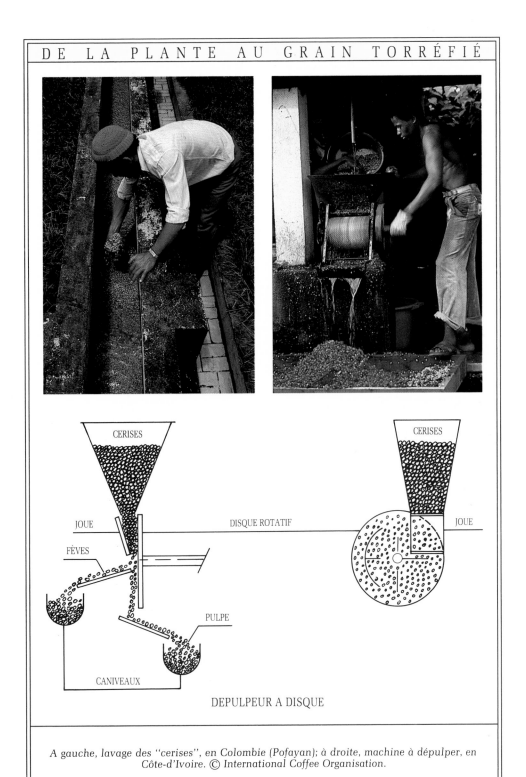

A gauche, lavage des ''cerises'', en Colombie (Pofayan); à droite, machine à dépulper, en Côte-d'Ivoire. © International Coffee Organisation.

des nombreuses impuretés qui peuvent y être mêlées. Une trémie sépare les gros fragments de pierre ou de terre. Un séparateur magnétique retient les objets métalliques. Un dépoussiéreur termine l'opération. Le déparchage (c') ou le décorticage (c') selon le cas sépare ensuite le grain proprement dit de l'enveloppe qui le recouvre encore. Après le passage dans une décortiqueuse, la fève ressort entourée seulement d'une ''pellicule'' argentée qui disparaîtra plus tard au cours de la torréfaction. Puis a lieu le triage. Un triage granulométrique (d') sépare les grains gros ou petits, plats, ratatinés, brisés. Un triage densimétrique (e') suit celui-ci et classe les fèves légères, piquées, et les fèves saines, grâce à un courant d'air chaud ascendant. Ensuite un triage colorimétrique (f') permet de repérer les grains noirs ou de différentes couleurs et peut être fait à la main ou électroniquement.

Le café vert est alors prêt à être mis en sacs dans les magasins bien ventilés ou stocké en vrac. Il est préférable de le laisser dans cet état s'il doit voyager longtemps.

CI-DESSUS: *séchage du café en parche, au Salvador.* CI-CONTRE: *boutique d'un négociant à Naïrobi, Kenya.* PAGE DE DROITE: *stockage de sacs de café au Brésil.* © International *Coffee Organisation.*

USINAGE

Ce café vert ne donnerait qu'une boisson fade, incolore et sans arôme si on l'employait dans cet état et l'on doit rendre grâce à celui qui, par mégarde ou volontairement, à commencé le premier à le griller ou plus exactement à le torréfier.

La torréfaction permet d'obtenir une boisson très colorée, presque noire, délicieuse et agréablement parfumée, avec ce même grain qui a subi de profondes transformations pendant qu'on le rôtissait. Au cours du "grillage" les grains de café vert, chauffés progressivement, sont remués sans arrêt. Vers 100° leur couleur verte vire au jaune et de la vapeur d'eau se dégage. Vers 150°, ils deviennent brun clair tandis qu'une odeur caractéristique de café grillé apparaît. Entre 200° et 220° la torréfaction est terminée. Les grains, maintenant brun foncé ou acajou sombre ont augmenté d'un tiers de leur volume et ont perdu jusqu'à 20% de leurs poids. En outre, ils ont pris un aspect luisant grâce à l'huile qui s'est formée. La couleur des grains et leur aspect permettent de qualifier cette opération de satisfaisante, bonne, régulière, mauvaise ou même très mauvaise. Par exemple on dit qu'elle est "bonne" lorsqu'environ 0,5% des fèves restent pâles après ce traitement. (C'est dire combien la sélection des grains est poussée!)

Autrefois la torréfaction était surtout artisanale et l'on voyait souvent les petits épiciers de quartier griller régulièrement leur café pour satisfaire une clientèle d'habitués. Certaines maîtresses de maison préféraient acheter du café vert et le rôtir elles-mêmes en utilisant différents ustensiles ménagers que l'on posait sur un foyer quelconque. Certains

Torréfaction industrielle du café. © *Phot. The Bettman Archive, New York.*

étaient des sortes de poêles fermées par un couvercle et munies d'une manivelle qui permettait de bien mélanger le café pendant qu'il grillait. D'autres appareils tournaient autour d'un axe vertical ou horizontal et fonctionnaient de la même manière.

Maintenant la torréfaction est une opération purement industrielle. La plupart des torréfacteurs utilisent des appareils qui traitent quelques dizaines de kilogrammes de fèves
à la fois, mais il existe des machines géantes qui peuvent en recevoir plusieurs centaines
de kilogrammes en même temps. Chauffées au gaz ou à l'électricité, elles fonctionnent
toutes automatiquement et émettent un signal lorsque le café est grillé à point, selon le
programme désiré. En effet le temps de cuisson et la température varient selon que l'on

veut obtenir un café noir et corsé ou un café plus clair et moins amer. L'opération demande généralement une vingtaine de minutes. Il faut l'arrêter net au bon moment et c'est
justement la partie délicate de cette manipulation que les spécialistes surveillent avec la
plus grande attention malgré toutes les assurances données par leurs machines perfectionnées. Le café est sorti rapidement et brusquement refroidi par un brassage énergique
effectué dans une cuve ouverte tandis qu'un courant d'air traverse toute la masse, avant
d'être aspiré par en dessous. Il est indispensable d'abaisser très vite la température des
graines rôties car elles continuent à cuire en dehors de l'appareil comme en témoignent
les craquements que l'on entend encore pendant quelques instants dans la cuve où on
les a déversées. Une torréfaction trop poussée détruit l'arôme du café et fait apparaître
une amertume qui n'est pas toujours appréciée.

Torréfaction moderne du café dans le Maryland (U.S.A.). © *International Coffee
Organisation.*

Pendant cette opération ont lieu les transformations qui permettent aux cafés grillés d'acquérir les caractères selon lesquels on les classe, en tenant compte également des nombreux éléments qui interviennent dans le choix des cafés verts au moment de leur mise en vente. Pour ceux-ci l'on tient compte à la fois: de l'espèce, *arabica* ou *canephora* et de la variété: *bourbon*, *maragogyte* ou *robusta*, etc., de la région productrice: Brésil, Côte d'Ivoire, Indonésie, de la préparation de la fève: lavée ou non et des qualités propres à celle-ci: grosseur, type, couleur, odeur.

La grosseur de la fève est déterminée par le criblage qui permet de séparer les grains selon leur taille d'après les normes établies (par l'AFNOR). Les *Arabicas* sont répartis: en grosses fèves, appelées ainsi lorsque 90% d'entres elles sont retenues par le crible N°17 (dans lequel les perforations ont un diamètre de 6,7 mm). Moyennes, lorsque 90% restent dans le crible N°15. Petites, lorsque 50% seulement sont retenues par le crible N°15. Les autres étant en dessous du N°15. Les numéros de crible vont de 10 à 20 et les perforations sont exprimées en 64e de pouce pour les mesures anglaises et en millimètres pour les françaises, soit de 4 à 8 mm pour les Français et de 3,97 à 7,94 mm pour les Anglais. Certaines fèves de *Robustas* peuvent atteindre un calibrage de 18 à 20.

On compte ensuite le nombre de défauts relevés sur un échantillonnage de 300 grammes, d'après la méthode américaine, brésilienne ou havraise. Selon cette dernière par exemple: une fève noire compte pour un défaut de même que 2 fèves sûres, 5 fèves sèches ou 1 cerise; tandis que 1 pierre moyenne ou 2 fèves fermentées comptent pour 2 défauts. Elle correspond sensiblement aux autres mesures. Puis on attribue (selon la méthode havraise) les **qualificatifs** suivants: *extra*, de type 1 à 4, pour 0 à 19 défauts; *supérieur*, de type 5 et 6, pour 20 à 73 défauts; *1er qualité*, de type 7, pour 74 à 110 défauts. *2e qualité* AA et BB, de type 8 et 9 pour 111 à 240 défauts; *3e qualité* CC et DD, de type 10 et 11 pour 241 à 480 défauts. Il reste les triages avec plus de 480 défauts. Selon la méthode américaine ou brésilienne, le 2NY correspond à un *extra* de type 3. Le 6NY correspond à une *1ère qualité*. Le 8NY correspond à une *3ème qualité* DD etc... On examine également la **couleur** des fèves. Ainsi les *Arabicas* marchands peuvent avoir une teinte bleutée uniforme parfaite ou mêlée de vert-bleuté, ou vert-bleuté, ou verte à reflets brunâtres ou encore gris-vert à vert brunâtre, vert léger et même hétérogène. Et les *Robustas* une teinte verdâtre à jaunâtre ou brunâtre. La couleur de la fève varie selon les espèces et les variétés, mais elle change aussi suivant l'âge du café, le degré de séchage, le temps d'exposition à l'air et au soleil, les conditions d'entreposage et la méthode de préparation (café lavé ou non).

On tient encore compte de l'**odeur** du grain qui doit être normale, c'est-à-dire n'avoir subi aucune altération par les moisissures ou la pourriture et n'être "ni étrange, ni désagréable". Enfin des spécialistes apprécient les qualités de la boisson préparée à partir d'un échantillon prélevé sur un lot présenté par le vendeur et définissent, selon leur odorat et leur goût, ce qu'on appelle en termes de métier: la "tasse" de ce café. On dit qu'elle est très fine, bonne, discrète, pauvre, lourde, grossière, suspecte, mauvaise etc.. Après avoir humé longuement et goûté très soigneusement le café préparé dans les meilleurs conditions, les dégustateurs en évaluent l'acidité, le corps et l'arôme, trois caractères d'après lesquels on juge finalement les cafés. **L'acidité** apporte une légère sensation piquante mais agréable qui ne doit pas être confondue avec l'aigre ou le sur d'un café fermenté. Elle se développe au début de la torréfaction et diminue ensuite très rapidement en fonction inverse de celle-ci. Un café torréfié clair ou "blond", très apprécié des Nordiques, l'est peu des Français qui le préfèrent moins acide, donc un peu plus torréfié. Un café très foncé perd toute son acidité mais aussi son parfum. L'acidité est une des caractéristique des *Arabicas* de haute altitude comme ceux d'Amérique centrale. Elle est généralement très appréciée lorsqu'elle n'est pas trop puissante. **Le corps** apporte une sensation agréable de plénitude et d'ampleur qui reste dans la bouche lorsqu'on conserve une gorgée de café quelques instants avant de l'avaler. **L'arôme** est plus difficile à exprimer car on le définit par comparaison à une longue liste de goûts connus, allant des plus agréables aux plus étonnants. On en distingue plusieurs dizaines. Il est dû à la formation de plusieurs centaines de composants aromatiques nés de la torréfaction. On peut dire qu'il correspond au bouquet d'un vin.

En résumé on pourrait dire d'un *Arabica* lavé, d'une couleur bleutée presque parfaite; dont 70% des fèves sont retenues au crible N°17 et 20% au N°16; qui ne renferme aucune fève défectueuse; qui, après la torréfaction est brillant et coloré uniformément, avec un sillon blanc sur sa face plate; dont la tasse est très fine avec une acidité et un corps bien équilibrés, qu'il correspond à la dénomination havraise *extra* de type 1. C'est un café parfait à tous points de vue; l'on doit ajouter qu'il est extrêmement rare; et qu'un *Robusta* lavé, de couleur verdâtre à jaune; calibré au-delà du crible N°18; qui ne renferme que quelques fèves défectueuses (décolorées, rouillées, etc..); qui est bien torréfié; et dont la tasse est franche à pauvre, est un *Robusta* de type w2 AAA! (selon M. Jobin).

A GAUCHE: *torréfacteurs à air chez Lavazza; ces appareils ultra-modernes permettent une haute productivité et un contrôle minutieux.* © *Lavazza.* A DROITE: *Laboratoire à analyses pour l'appréciation des qualités et l'examen des échantillons de café vert.* © *Lavazza.*

MÉLANGES

Mais le consommateur ignore à peu près tout de l'usinage du café et seuls les importateurs et les industriels sont vraiment au courant de ces questions. Le consommateur lui, ne connait que le café en grains ou en poudre présenté en paquets et en boites. S'il apporte parfois le plus grand soin dans l'achat de son café, la plupart du temps il n'a qu'une faible connaissance des différences qui peuvent exister entre les cafés qu'on lui propose et se contente souvent de préférer une marque à une autre.

Il devrait trouver sur tous les emballages certaines précisions qui pourraient le guider en le renseignant par exemple sur les variétés employées dans le mélange préparé, leurs caractéristiques, leur provenance, leur teneur en caféine, etc...

D'une manière générale les *Arabicas* sont doux, agréablement parfumés et légèrement acides, tandis que les *Robustas* sont plus amers, plus charpentés - on pourrait presque dire plus agressifs pour certains - mais aussi plus toniques. Il est très rare qu'un café soit assez complet pour offrir, à lui seul, tout ce qu'un amateur attend de sa dégustation. Cependant c'est le cas de quelques *Arabicas* d'altitude provenant d'Amérique Centrale, d'Amérique du Sud, de Nouvelle Guinée, d'Inde... comme L'*Antigua* du Guatemala, le *Costa Rica*, le *Mexique-Custepec*, le *Colombie*, le *Pérou*, le *Vénézuela*, le *Mysore*... et du

Analyses gustatives en R.F.A. © *International Coffee Organisation.* CI-CONTRE: *examen gustatif de divers cafés dans les années trente.* © *Phot. The Bettmann Archive, New York.*

véritable *Moka* au parfum très spécial, un peu sauvage mais apprécié par certains. La plupart des cafés entrent dans la préparation de mélanges dans lesquels les qualités des composants se complètent heureusement.

L'acidité et le goût des uns s'ajoutent à l'arôme des autres ou à leur force pour donner un produit commercial bien équilibré capable de satisfaire les gourmets les plus difficiles. Des cafés acidulés peuvent être mélangés entre eux ou avec des cafés neutres pour obtenir une boisson légère mais des cafés trop corsés pourraient en détruire la finesse. Ainsi quelques "grands crus" d'*Arabicas*: l'*Altura* du Mexique au goût assez prononcé; le *Colombie* "Excelso" fin, riche et subtil; le *Santos* du Brésil, doux et moelleux; ou le *Costa Rica* suave et délicat, sont des éléments de choix pour réaliser d'excellents mélanges. Un véritable *Moka* leur apporte parfois un peu de sa force. Cependant quelques mélanges entre *Arabicas* non lavés et *Robustas* africains sont possibles et donnent un café corsé très apprécié dans l'hôtellerie et par certains consommateurs. Dans la proportion de 2/3 d'*Arabica* pour 1/3 de *Robusta* on obtient un excellent mélange. Les professionnels effectuent généralement leurs mélanges en utilisant quatre à huit lots différents d'une même dénomination car elle peut présenter de grandes différences de qualité selon la nature du sol, le climat ou le mode de traitement des fèves. Cette précaution permet aux spécialistes de fournir avec régularité un produit de qualité sensiblement constante en dépit de l'irrégularité des approvisionnements due parfois à des catastrophes naturelles mais aussi à des problèmes politiques touchant les pays exportateurs.

Chaque torréfacteur fait ses mélanges selon des recettes personnelles et le succès de ses préparations dépend à la fois du choix des cafés verts qu'il utilise et de la façon dont il les traite. Ces secrets qui font la renommée de certaines maisons sont souvent transmis de père en fils depuis plusieurs générations. Le torréfacteur "grille" le café après avoir préparé son mélange et il est certain que cette délicate opération est rendue plus difficile encore par les différences qui existent souvent entre les fèves réunies à cette occasion. On pourrait penser que chaque composant serait mieux traité s'il était torréfié seul et que le mélange réalisé seulement après, gagnerait en qualité mais il semble qu'il n'en soit rien. En fait, le bénéfice que l'on retirerait de cette façon de procéder n'est peut-être pas compensé par les manipulations nettement plus longues qu'elle nécessiterait.

En tous cas le consommateur devrait refuser les marques qui ne mentionnent pas la D.L.U.O. (date limite d'utilisation optimale) et prendre de préférence celles qui donnent le plus grand nombre d'informations, en se méfiant de certaines dénominations, alléchantes mais peu explicites, comme TRADITION, qui indique en réalité un mélange de 70% de Robusta et 30% d'Arabica. GRAND AROME, un mélange de 50% de Robusta et 50% d'Arabica, etc... Il ne faut pas oublier que le café est un produit fragile que l'on doit traiter comme tel pour qu'il conserve son goût et son arôme le plus longtemps possible. Il est donc préférable de ne pas faire de réserves et de renouveler ses achats au fur et à mesure de ses besoins. Il est conseillé également de conserver le café dans un récipient clos, à l'abri de la lumière et de la chaleur. Le mieux est de mettre le paquet d'origine dans une boite étanche au réfrégérateur ou même au congélateur.

EMBALLAGES

Après la torréfaction on procède rapidement à l'emballage du café pour le mettre à l'abri de l'oxygène, de l'air et de l'humidité. Cependant avant de l'enfermer on laisse échapper les gaz formés pendant cette opération car l'emballage pourrait éclater. Ce dégazage demande de quelques heures à plusieurs jours.

Il existe trois type d'emballage: le **traditionnel**, réservé aux cafés en grains; la date limite d'utilisation optimale (la D.L.U.O. qui peut varier de 70 jours à 9 mois) est placée sous la responsabilité de chaque torréfacteur. Elle est généralement de 6 mois, ce qui est beaucoup trop. L'emballage **sous vide**, réservé plus spécialement aux cafés moulus et à quelques cafés en grains; la D.L.U.O. est alors de 12 à 15 mois. Et l'emballage muni d'une **valve unisens** qui réduit le temps de dégazage car il permet aux gaz de sortir s'il a trop de pression dans le paquet, sans que l'air ne puisse entrer.

Le café soluble est conservé en flacon et doit être consommé rapidement après l'ouverture de celui-ci pour conserver ses qualités (de préférence dans les 15 jours suivants). Mais, quoi qu'on fasse, le temps déforme l'arôme du café et l'on doit retenir que dès la fin de la torréfaction le café commence lentement à se détériorer.

QUELQUES SAVEURS ET ARÔMES CARACTÉRISTIQUES

Ces termes sont extraits du répertoire utilisé pour la dégustation des cafés, édité par le Centre du Café, 59 avenue Marceau 75016 PARIS.

SAVEURS:

acide: sensation appréciée, qui varie de l'agréable à l'indésirable.

aigre: saveur désagréable mais naturelle.

amer: saveur désirée jusqu'à un certain niveau; propre au *Robusta* et en général à certains cafés de Haïti.

astringent: provoquant une crispation des muqueuses.

corps: qui donne la sensation de bien remplir la bouche, comme le *Santos* du Mexique le *Costa Rica*, le *Guatemala*, le *Haïti*, le *Moka*, le *Kénya*, le *Sumatra Mandeling*, le *Java* ou le *Célèbes Kalossi*.

douceâtre: qualifie les cafés ayant conservé leurs arômes les plus volatils, propriétés généralement associée à des notes caractéristiques de fruité, chocolaté, caramélisé... (On peut déceler un goût de chocolat dans le *Moka* du Yémen et dans les *Arabicas* d'Indonésie en particulier dans le *Java*).

salé: explicite

ARÔMES

animal: évoque ici l'odeur d'un pelage mouillé et du cuir. Ce caractère n'est pas forcément négatif mais significatif de force. On trouve le caractère sauvage chez le *Moka* d'Ethiopie.

brûlé, fumé: correspond à un café trop torréfié, surchauffé.

caoutchouc: propriété pas forcement négative mais caractéristique de certains cafés.

caramel: à ne pas confondre avec le brûlé. Odeur de fèves torréfiées après avoir été aspergées de sucre ou de mélasse présente parfois chez certains cafés de Colombie.

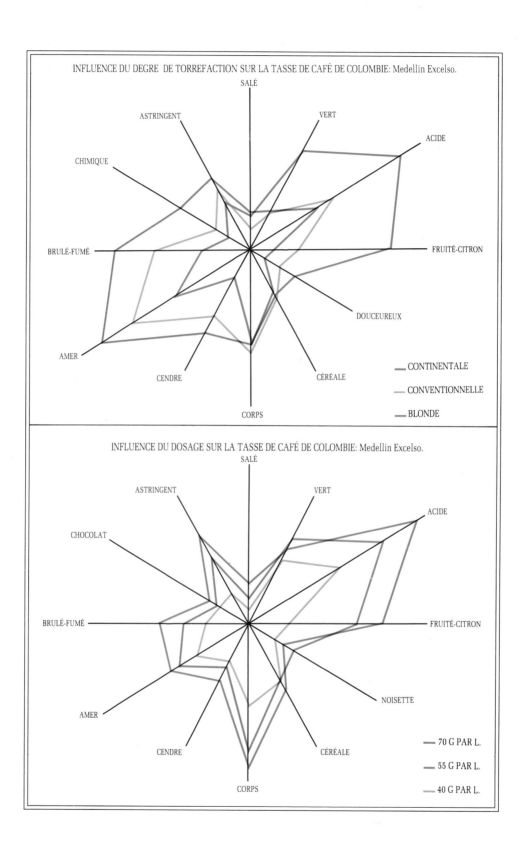

INFLUENCE DU DEGRE DE TORREFACTION SUR LA TASSE DE CAFÉ DE COLOMBIE: Medellin Excelso.

SALÉ · VERT · ACIDE · FRUITÉ-CITRON · DOUCEUREUX · CÉRÉALE · CORPS · CENDRE · AMER · BRULÉ-FUMÉ · CHIMIQUE · ASTRINGENT

CONTINENTALE
CONVENTIONNELLE
BLONDE

INFLUENCE DU DOSAGE SUR LA TASSE DE CAFÉ DE COLOMBIE: Medellin Excelso.

SALÉ · VERT · ACIDE · FRUITÉ-CITRON · NOISETTE · CÉRÉALE · CORPS · CENDRE · AMER · BRULÉ-FUMÉ · CHOCOLAT · ASTRINGENT

70 G PAR L.
55 G PAR L.
40 G PAR L.

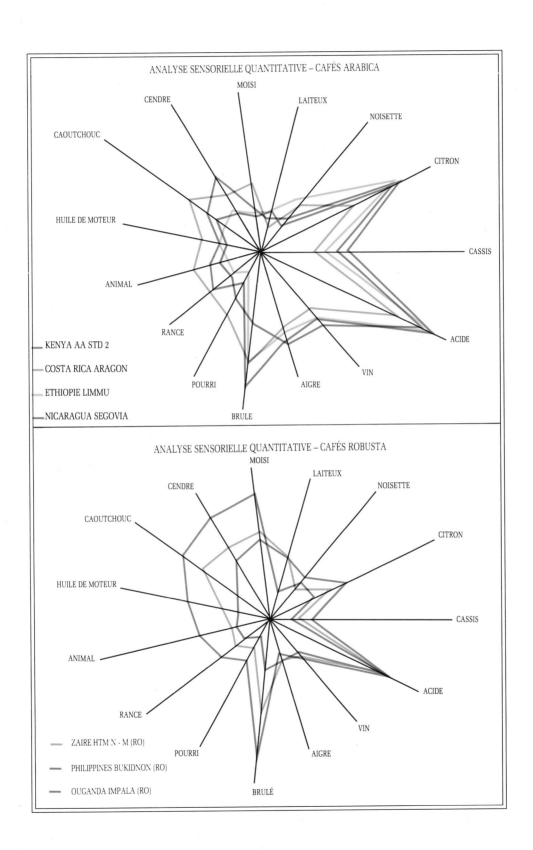

ANALYSE SENSORIELLE QUANTITATIVE – CAFÉS ARABICA

MOISI
LAITEUX
CENDRE
NOISETTE
CAOUTCHOUC
CITRON
HUILE DE MOTEUR
CASSIS
ANIMAL
ACIDE
RANCE
VIN
KENYA AA STD 2
POURRI
AIGRE
COSTA RICA ARAGON
BRULE
ETHIOPIE LIMMU
NICARAGUA SEGOVIA

ANALYSE SENSORIELLE QUANTITATIVE – CAFÉS ROBUSTA

MOISI
LAITEUX
CENDRE
NOISETTE
CAOUTCHOUC
CITRON
HUILE DE MOTEUR
CASSIS
ANIMAL
ACIDE
RANCE
VIN
ZAIRE HTM N - M (RO)
POURRI
AIGRE
PHILIPPINES BUKIDNON (RO)
BRULÉ
OUGANDA IMPALA (RO)

céréale, malt, pain grillé: explicite.

chimique, médicamenteux - iodé et phénique -: Odeur caractéristique des cafés riotés (au goût de Rio). Ne peut être masquée par mélange avec d'autres cafés. Elle est présente chez certains *Arabicas* du Minas Gerais (Brésil) exportés par le port de Rio de Janeiro.

chocolaté: odeur de chocolat amer ou doux (que l'on retrouve fortement dans le *Java menado* par exemple).

épicé: rappelant l'odeur de la cannelle ou du clou de girofle. A ne pas confondre avec les épices piquantes comme le poivre, le curry, etc. (les *Arabicas* du Vénézuela, de Rio et du Minas sentent un peu le poivre).

floral: rappelant le chèvrefeuille, le jasmin, le pissenlit et l'ortie. Perçu lorsqu'un arôme fruité ou vert est identifié, mais très légèrement.

fruité-citron: évoque le parfum et le goût de la cerise du caféier. Gout propre au *Moka* d'Ethiopie et à certains *Arabicas* de l'Amérique Centrale. Ceux du Kénya et des Indes ont parfois un arôme de groseiller.

VOCABULAIRE

ACIDE: goût fin et acidulé caractérisant les bons café *arabica* de haute altitude.

ACRE: saveur légérement piquante, acidité désagréable.

AIGRE: acidité trop prononcée, rappelant aussi le lait tourné.

ALCOOLIQUE: explicite par lui-même.

APRE: boisson dure, ayant du corps.

ARACHIDE GRILLÉE: explicite par lui-même.

BRULÉ: explicite, café trop grillé.

CAOUTCHOUC: explicite.

CARAMEL: explicite.

CORPS: infusion qui a de la force, en opposition avec légère.

EPAIS: infusion qui a du corps.

EPICÉ: explicite.

FERMENTÉ: en principe voie humide mal fermentée, alcoolique.

FÉTIDE: puant, nauséabond.

HERBEUX: goût de féuilles, d'herbes parfois légérement fermentées.

LEVURE: explicite par lui même.

LIGNEUX: goût de bois.

MALPROPRE: boisson désagréable dont on n'arrive pas à définir avec précision le goût.

MERDEUX: qui a le goût d'excréments.

METALLIQUE: explicite.

MOISI: explicite.

PAPIER: explicite.

PHARMACEUTIQUE: odeur de produits chimiques non définis.

PHÉNOLIQUE: goût de phénol, on dit aussi pharmaceutique.

PLAT: infusion sans caractère, manque d'arôme et de corps.

POMME DE TERRE: explicite par lui-même.

PUANT: Fétide, pourri, écoeurant.

PYRIDINIQUE: rappelle la pyridine.

PYROLIGNEUX: rappelle les produits de pyrolise du bois.

RANCE: rappelle en général le beurre rance.

RHUMÉ: goût et odeur de têtes et queues de distillation du rhum.

RIOTÉ: goût pharmaceutique rappellant celui de l'iode.

TERREUX: explicite.

VERT: gout d'herbes, cru, assez âpre.

VIEUX: infusion aux caractères atténués.

Trémie servant à calibrer les différents types de café en Colombie. © International Coffee Organisation.

La Préparation du Café

La qualité d'une tasse de café dépend, bien entendu, des qualités propres au café utilisé, c'est-à-dire de sa saveur, de son parfum, de sa torréfaction, de sa fraîcheur, de sa conservation, mais également de la mouture employée. Trop fine, on la retrouve au fond de la cafetière; trop grosse, elle ne donne pas tout son arôme. Il est préférable d'acheter le café en grains et de le moudre au moment de s'en servir. L'idéal serait d'écraser les grains dans un mortier, ce qui s'est fait très longtemps, de l'origine jusqu'à l'apparition des moulins; mais certains connaisseurs, comme Brillat-Savarin, prônaient encore cette méthode au XIXe siècle. "Les Turcs (dit il) qui sont nos maîtres en cette partie n'emploient point de moulin pour triturer le café, ils le pilent dans des mortiers avec des pilons de bois, et quand ces instruments ont été longtemps employés à cet usage, ils deviennent précieux et se vendent à grand prix".

Il fit un jour une expérience pour vérifier ce qu'il affirmait: "En conséquence, j'ai torréfié avec soin une livre de bon moka, je l'ai séparé en deux parties égales dont l'une a été moulue et l'autre pilée à la manière des Turcs. J'ai fait du café avec l'une et l'autre des poudres; j'en ai pris de chacune pareil poids, et j'y ai versé pareil poids d'eau bouillante, agissant en tout avec une égalité parfaite. J'ai goûté ce café, et je l'ai fait déguster par les plus gros bonnets. L'opinion unanime a été que celui qui résultait de la poudre pilée était évidemment supérieur à celui provenant de la poudre moulue". Le café doit être broyé, sans être surchauffé, comme le faisaient les moulins à mains qui ont pratiquement disparu. On les utilise parfois encore par jeu ou par snobisme.

Les moulins électriques les ont remplacés depuis longtemps mais si les moulins broyeurs fonctionnent comme les anciens moulins, en conservant au café tout son arôme, les moulins à ailettes (meilleur marché) échauffent la mouture et lui font perdre une partie de son arôme.

On a aussi besoin d'une eau convenable, aussi fraiche et pure que possible, ne renfermant ni trop de sels minéraux ni trop de chlore. L'eau courante convient parfaitement.

L'instant de l'œil et du nez. © International Coffee Organisation.

Si elle est trop chlorée, on la fait chauffer un peu plus longtemps pour faire évaporer cette substance. Elle ne doit pas être bouillante ni bouillie mais "frémissante" au moment de l'emploi. Enfin il faut choisir une bonne cafetière qui doit toujours être tenue parfaitement propre et si possible ébouillantée avant usage. Il existe une infinité de modèles dans le commerce qui sont presque tous capables de donner de très bons résultats et se rattachent à quelques types.

LA CAFETIÈRE À FILTRE ou cafetière de "grand-mère" composée simplement de deux parties en faience, en porcelaine ou en métail émaillé. La moitié supérieure ou filtre, recouvert d'un tamis ou d'un disque percé de petits trous, reçoit le café moulu assez gros sur lequel on verse l'eau à bonne température (on dit aussi: en pré-ébullition), après avoir

La Jeune Ménagère par L.L. Boilly, huile sur toile, Copenhague, 1906. © Ph. Jacobs Suchard Museum. CI-CONTRE: ancêtre du percolateur, l'appareil Loysel était en fait une grande cafétière à eau bouillante sous pression. © Phot. The Bettmann Archive, New York. EN VIGNETTE: publicité de l'entre-deux guerres © Phot. Musée des Arts et traditions populaires.

arrosé le café au préalable d'une ou deux cuillerées d'eau froide pour le faire gonfler. Le café est recueilli dans le récipient intérieur qui sert de verseuse. On compte 10 à 12 grammes de café moulu par tasse. L'opération demande une dizaine de minutes.

LE FILTRE INDIVIDUEL est une cafetière du même type, en réduction. Les meilleurs modèles sont en acier inoxydable mais il existe dans le commerce des filtres en plastique prêts à l'emploi. Sur ce même principe, on trouve encore des cafetières à filtre en papier spécial simplement soutenu par un entonnoir posé sur la verseuse. On obtient un café léger, limpide et agréable à boire, bien qu'il ne soit pas très chaud. La "chaussette" est l'ancêtre de ce procédé. On la retrouve également faite en nylon, en soie, en toile métallique très fine, parfois même en matière précieuse.

LA CAFETIÈRE A PISTON est encore une variante de la cafetière à filtre. Dans celle-ci le corps de l'appareil est un cylindre de verre, protégé par un support métallique. On place le café toujours moulu assez gros dans le récipient, on verse de l'eau bouillante et l'on pose au-dessus le filtre métallique, embouti sur une tige, qui traverse le couvercle. Après quelques minutes d'infusion, on enfonce doucement le filtre qui sépare le marc du liquide et l'on obtient un excellent café.

LA CAFETIÈRE "NAPOLITAINE", inventée par un Français en 1819, est aussi une cafetière à filtre. Elle comprend deux parties métalliques identiques vissées l'une sur l'autre. Dans celle du bas, on met l'eau à bouillir, dans celle du haut, on dépose le café moulu retenu par un filtre. A l'ébullition, on retourne l'appareil, l'eau passe sur la poudre et l'on recueille le café dans la partie inférieure qui devient verseuse.

LA CAFETIÈRE ÉLECTRIQUE est encore une cafetière à filtre dans laquelle il suffit de remplir le réservoir d'eau, de mesurer le café dans le filtre et de mettre l'appareil en marche pour que l'eau chauffée à point coule toute seule sur la poudre.

Avant d'abandonner ce type de cafetière on ne peut oublier la fameuse "Dubelloy" qui fit son apparition au début du XIXᵉ siècle, apparemment en 1801, et que Brillat-Savarin, le fin gastronome, adopte finalement. "J'ai essayé dans le temps toutes ces méthodes et celles qu'on a proposées jusqu'à ce jour et je me suis fixé, en connaissance de cause, à celle qu'on appelle *à la Dubelloy*, qui consiste à verser de l'eau bouillante sur le café mis dans un vase de porcelaine ou d'argent percé de très petits trous. On prend cette dernière décoction (terme impropre puisque la poudre n'a pas bouilli dans l'eau), on la chauffe jusqu'à l'ébullition, on la repasse de nouveau et on a un café aussi clair et aussi bon que possible". Si nous sommes d'accord avec lui pour utiliser une cafetière de ce type, nous ne le suivrons pas dans la manière de s'en servir car un vieux dicton de chez nous, un peu brutal peut-être dans sa forme mais très réaliste, dit nettement: "Café bouilli, café foutu"! Les goûts ont changé.

LA CAFETIÈRE À PRESSION D'AIR, du genre "Cona", appartient à un autre type de cafetière. Elle est composée d'un ballon dans lequel on met de l'eau jusqu'à la moitié à peu près, surmonté d'un récipient auquel est fixé un tube plongeant dans l'eau. Il est muni d'un filtre sur lequel on dépose le café moulu. On chauffe l'eau du ballon, l'air prisonnier se dilate et exerce une pression sur l'eau qui monte dans le tube, traverse le filtre et se mélange à la mouture. Lorsqu'on cesse de chauffer, l'air refroidit dans le ballon et le café est filtré avant de descendre lentement.

Enfin LES CAFETIÈRES À EAU BOUILLANTE SOUS PRESSION sont encore d'un autre type et portent le nom général de percolateur. Le premier fut inventé en 1822 par un Français, Louis-Bernard Rabaut. Un modèle exposé en 1855 à la foire-exposition de Paris stupéfiait la foule car il pouvait fournir deux mille tasses de café à l'heure. A la fin du XIXᵉ siècle les Italiens avaient diffusé ce type de cafetière dans le monde entier.

L'appareil est constitué d'un récipient métallique cylindrique que l'on remplit d'eau et sur lequel est adapté un filtre. On pose l'ensemble sur le feu. L'eau bouillante sous pression monte par un petit tuyau et arrose la mouture placée dans le filtre. Le café retombe dans l'eau qui continue à bouillir, se mélange à elle et refait le même trajet. Le liquide obtenu est plutôt amer et a perdu une grande partie de son parfum.

Tous les cafés et les restaurants possèdent maintenant des machines à'expresso", mises à la mode par les Italiens, et dans lesquelles l'eau bouillante sous pression passe rapidement à travers la poudre bien tassée et en extrait tout l'arôme. Le café préparé rapidement est bien chaud, fort et de qualité. Il donne de bons résultats même avec un café ordinaire. Il existe de grosse machine à usage professionnel et quelques modèles réduits pour les particuliers. Certaines cafetières italiennes, de ménage, en duraluminium, s'inspirent du même principe. Elles sont composées d'une bouilloire inférieure dans laquelle plonge un filtre entonnoir que l'on remplit de poudre, sans la tasser, et d'un récipient supérieur vissé sur l'ensemble qui servira de verseuse. L'eau sous pression traverse la mouture et le café obtenu monte dans une colonne creuse occupant le centre du récipient supérieur. Il en sort par une fente ménagée à cet effet et remplit la verseuse en quelques minutes. On obtient ainsi un excellent café. Brillat-Savarin n'aurait pas été de cet avis, d'après ses réflexions: "J'ai essayé, entre autres, de faire du café dans une bouilloire à haute pression; mais j'ai eu pour résultat un café chargé d'extractif et d'amertume, bon tout au plus à gratter le gosier d'un Cosaque".

On peut aussi préparer du café sans user d'une de ses cafetières. Ce qu'on appelle habituellement "café à la turque" et qui est bu par des millions d'individus dans le monde, ne relève d'aucune des préparations décrites précédemment puisque dans ce cas on fait bouillir la poudre de café finement moulue avec l'eau et le sucre et qu'on ne filtre pas le café. Le liquide brûlant, épais et mousseux est bu à petites gorgées gourmandes et un dégustateur averti ne termine jamais sa tasse, d'abord parce que le marc repose au fond, ensuite parceque la tradition veut que l'on retourne cette tasse sur la soucoupe pour y

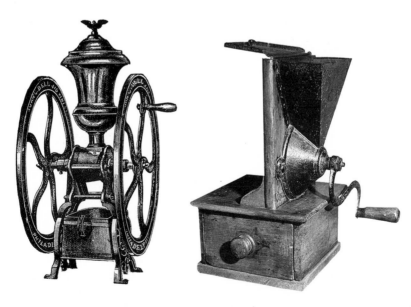

A GAUCHE: *moulin à café professionnel américain (1880).* © *Phot. the Bettmann Archive New York.* A DROITE: *moulin à café professionnel en bois et en fonte (vers 1850, Europe).* © *Phot. Roger Viollet.* CI-CONTRE: *publicité pour le café de la Compagnie française.* © *Phot. Musée de la Publicité.*

PAGE DE DROITE:
différentes cafetières: **1.** *L'une des premières cafetières anglaises, datée de 1681* © *Phot. The Bettmann Archive, New York.* **2.** *Cafetière en porcelaine de la manufacture de Chantilly (entre 1730 et 1740).* © *Phot. Jacobs Suchard Museum.* **3.** *Cafetière anglaise en argent, due à l'orfèvre londonien J. Schruder, 1749.* © *V* **4.** *Cafetière en argent due à Charles Donzze, Paris, 1757.* **5.** *Cafetière cylindrique en bronze, Italie, XVIIIe siècle. A l'intérieur se trouve un filtre ressemblant au système actuel des cafetières dites "à l'italienne".* © *Phot. Viollet.* **6.** *Cafetière en argent, Paris, datée 1774.* © *Phot. V.A.* **7.** *Cafetière en argent anglaise datée de 1776. Le couvercle et le bec sont en métal repoussé, le col et le pied ornés de godrons, guirlandes et feuilles d'acanthe ornent le corps.* © *Phot. CD.* **8.** *Cafetière hollandaise due à Johannes Hermanns Logerath, Amsterdam, 1792.* © *Jacobs Suchard Museum.* **9.** *Cafetière en argent*

CI-DESSUS: *Cafetière en argent, ornée d'une poignée et d'un bouton en bois, appartenant à un service créé par Chirstian Dell à l'atelier d'orfèvrerie du Bauhaus, à Weimar, en 1925.* CI-CONTRE: *service à café de style "arts-déco".* © *Phot. The Bettman Archive, New York.*

Deux services à café: EN HAUT, *de l'époque du Consulat;* EN BAS, *de l'Empire.* © *Phot. Jacobs Suchard Museum.* CI-CONTRE: *cafetière art nouveau.* © *Phot. Jacobs Suchard Museum.*

précipiter les dernières gouttes de café avec son dépôt dans lequel se dessinent immédiatement toutes sortes de figures où chacun peut découvrir ce que lui réserve l'avenir.

Mais la façon la plus simple de préparer le café est aussi une des plus anciennes et fut adoptée par bien des amateurs par la suite. Elle consiste tout simplement à verser dans un récipient quelconque de l'eau frémissante sur du café moulu assez gros et à laisser infuser quelques minutes avant de filtrer au moment de servir. On ne peut que reprocher à ce breuvage un aspect un peu trouble. Les soldats de l'armée française le préparaient encore de cette façon dans les années 1880, mais au lieu de le filtrer ils plongeaient un tisonnier rougi au feu dans la casserole ce qui, parait-il, précipitait le marc au fond. Balzac avait encore trouvé le moyen de simplifier ce procédé puisque vers la fin de sa vie, il ne faisait même plus chauffer l'eau, comme il l'écrivait à Madame Hanska le 26 juillet 1847, et s'en trouvait fort bien: "J'ai une nouvelle hygiène excessivement heureuse à vous apprendre, c'est que j'ai eu l'idée de faire mon café à froid, je n'ai plus de douleurs d'estomac et le café ne me fait plus mal... je tannais mon estomac, je ne le tanne plus".

On se demande parfois pourquoi on a fait preuve de tant d'imagination au cours des siècles, pour préparer le café. Quoiqu'il en soit il est toujours meilleur bu dans une tasse que dans un verre et plus encore dans de la porcelaine que dans de la faïence. Sans parler des quarts métalliques des armées! Les plastiques alimentaires, peu agréables, ne transmettent aucun goût.

CAFÉS SOLUBLES ET CAFÉS DÉCAFÉINÉS

CAFÉS SOLUBLES. - Les cafés en grains verts sont torréfiés comme précédemment, puis moulus. Actuellement, la quantité employée pour fabriquer un kg de café soluble ne doit pas être inférieure à 2,3 kg mais un projet européen prévoit de ramener cette proportion à 2 kg pour faire face aux importations brésiliennes.

On procède ensuite à la préparation du café liquide dans de grands percolateurs à cuve d'acier. Grâce à une forte pression et à la haute température de l'eau en présence de la poudre, on obtient une concentration de 20 à 30% tandis que celle du café de ménage est de 1,1 à 1,5% Après filtrage, la concentration atteint un taux de 35 à 40%.

Il suffit de sécher cet extrait pour fabriquer le café soluble. On utilise pour cela deux modes de séchage: par la chaleur ou **atomisation** qui donne une poudre très fine. L'extrait liquide est pulvérisé par un courant d'air chaud conduit au sommet d'une tour d'acier haute de plusieurs étages. L'eau s'évapore et le café retombe en fines gouttelettes. Elles sèchent en donnant des grains creux minuscules qui s'amassent au pied de la tour. Cette poudre se dissout assez mal dans l'eau, aussi la transorme-t-on souvent en granulés. Par le froid ou **lyophilisation**, qui conserve mieux le goût et l'arôme du café et donne de fines paillettes dorées. L'extrait est congelé à très basse température et forme des plaques qui sont ensuite boyées. Les fragments sont introduits dans des chambres

© *BBC.*

où on fait le vide. On élève la température et l'eau est éliminée par sublimation (passage de l'état solide à l'état gazeux de l'extrait). Après refroidissement les paillettes se forment.

CAFÉS DÉCAFÉINÉS. - Tous les cafés renferment de la caféine mais en quantités variables selon les espèces: les *Arabicas* en sont moins riches que les *Robustas*. Les premiers en renferment de 0,8 à 1,2% et les seconds de 1,2% à 2,5% Un grand nombre de consommateurs redoutent l'effet de cette substance le soir, de crainte de ne pouvoir trouver le sommeil; aussi a-t-on cherché depuis longtemps à l'éliminer.

Dès le fin du XIXe siècle, les chercheurs ont mis au point le moyen d'extraire la caféine des grains de café, en leur gardant cependant leur arôme. En 1905, Ludwig Roselins réussit à extraire la caféine du café vert dans des conditions qui allaient pouvoir être exploitées dans l'industrie. Depuis, les techniques n'ont cessé de s'améliorer et continuent à faire l'objet de recherches constantes. La décaféination se fait en quatre phases.

- Le café vert est d'abord brassé dans l'eau chaude ou sous la vapeur d'eau pour le faire gonfler et le rendre poreux. On continue l'opération jusqu'à ce que le volume de l'eau contenue dans les grains passe de 10 à 30%.

- Les grains aux cellules dilatées baignent ensuite dans un solvant chargé d'extraire la caféine. Selon la teneur en caféine les grains sont lavés de 4 à 6 fois. Cette opératon est conduite très rapidement. On emploie le chlorure de méthylène, le dichloréthane, le trichlorétylène, ou parfois l'eau.

- Puis on injecte de la vapeur d'eau à forte pression dans les cuves où le café est rassemblé, pour éliminer toute trace de solvant. Des contrôles très stricts sont effectués selon des méthodes d'analyse reconnues dans le monde entier.

- Ensuite on sèche le café décaféiné avant de le torréfier comme les autres cafés verts et on le livre au commerce, en grains ou moulu. Le règlement prévoit que les cafés décaféinés en grains ne doivent pas contenir plus de 0,1% en poids de caféine, et les décaféinés solubles pas plus de 0,3%. Des techniques récentes permettent d'obtenir des cafés décaféinés dont le goût et l'arôme se rapprochent à tel point de ceux des cafés complets qu'ils arrivent à les égaler.

La simplicité du plaisir. © *Lavazza.* CI-CONTRE: *La pause café en Grèce.*
© *International Coffee Organisation.*

LE RITE DU CAFÉ

"Les graines embaumées sont rôties à souhait. Le noir les verse dans un mortier puis de sa main savante, il empoigne le pilon et fait chanter le cuivre comme une cloche, trois coups précipités martèlent les grains au fond du vase et le quatrième, mesure de luxe, vient heurter la paroi sonore; aussitôt la main du noir éteint le son presqu'à sa naissance. Cette musique est l'air de Mettâb, chaque chef a le sien; les coeurs se réjouissent, les pique-assiettes alertés affluent...

Le café n'est plus que poudre, le noir la recueille et la fait couler au creux blanc-rose de sa main puis la verse dans l'une des trois cafetières.

Soudain le Kaouadji (le préposé au café) se tourne de trois quarts, on dirait un chirurgien qui attend qu'on lui passe une pince. Mettâb abandonne le chapelet dont il roulait les grains entre ses doigts, ôte de son cou un sachet qui y pendait comme un scapulaire et le jette à l'esclave sans le regarder... Le sachet contient les cinq aromates: safran, cannelle, cardamone indienne à goût de cachou, djenzabile (Gingembre) qui est un rhizome blanc, quant au cinquième je l'ai oublié. L'esclave pile les aromates et les mêle à la poudre du café. Alors commence le jeu des cafetières. Les pauvres et les méharistes n'en ont qu'une par foyer. Pour faire le café avec la pompe nécessaire, il en faut trois. Une seule ne met pas assez en relief le savoir-faire du Kaouadji. L'esclave, de temps en temps, verse le contenu d'une cafetière dans une autre. Il en pousse une plus près du feu, en retire une autre, soulève leurs couvercles en forme de coupoles; de grosses bulles viennent crever à la surface....Une boue précieuse mijote... Une écume savoureuse monte aux lèvres des ca-

fetières, soulève leurs couvercles et vient imbiber leurs becs obstrués à demi d'un noyau de datte et de bourre de palme qui servent de filtre. Le Kaouadji les retire et extrait de menues tasses blanches d'un étui cylindriques. Il distille quelques gouttes dans l'une, les absorbe grave comme un dégustateur. Il prononce "bismillah" (au nom de Dieu) et manches déployées, d'un geste plein d'art où s'étire un long jet de café, il humecte le fond d'une tasse juste ce qu'il faut pour le cacher et me le tend. Je hume lentement en faisant le plus de bruit possible. L'âme même du café me visite, pure, amère comme une écorce aimée des chèvres, ardente comme le Tropique, parfumée comme les jardins de Kaffa. Le noir me sert deux fois encore. Je refuse comme il convient la quatrième tasse." Extraits de Quedar, carnets d'un méhariste syrien, Bernard Vernier (Plon, 1938).

CAFÉ À LA TURQUE

On utilise du café très torréfié, écrasé ou moulu aussi finement que de la farine. On mesure une cuillère à café de poudre pour une tasse d'eau et l'on ajoute du sucre en quantité variable selon le goût. On porte le mélange à ébullition et on le retire hors du feu lorsque la mousse qui se forme est prête à déborder du pot. On renouvelle cette opération trois fois de suite puis on ajoute rapidement quelques gouttes d'eau très froide qui fait tomber la poudre au fond de la cafetière. On sert ce café bien chaud et on le consomme aussitôt.

EN VIGNETTE: publicité anglaise. © Robert Opie. CI-CONTRE: un magnifique percolateur à Washington. © International Coffee Organisation.

Le Café et la Santé

ès que les hommes ont su préparer ce breuvage, ils ont pu en mesurer les effets presque magiques sans pouvoir les expliquer. En effet, dès qu'ils y goûtaient, ils en tiraient une grande satisfaction: une sensation de bien-être et même de légère euphorie les pénétrait, un peu comparable à celles que dispensaient le vin et l'alcool lorsqu'il n'était pas défendu d'en boire par la loi et la religion. Le café, en effet, effaçait toutes les fatigues et redonnait de la vigueur à ceux qui voyaient s'échapper leurs forces déclinantes. Il ranimait même la virilité de ceux qui en avaient besoin, selon certains. Il déliait les langues, aiguisait la pensée, libérait l'esprit, facilitait la réflexion et permettait de veiller des nuits entières pour se livrer aux prières. Tous ces pouvoirs qui remplissaient d'aise la plupart de ceux qui découvraient cette boisson étonnante, effrayaient les autres car ils redoutaient ce qu'ils ne pouvaient pas expliquer.

Les exemples abondent, rappelant les effets du café. Une des plus vieilles légendes relate l'aventure survenue à Mahomet lui-même. Gravement malade, il priait Allah de le secourir et de lui redonner des forces lorsque l'ange Gabriel, en personne, lui apporta un breuvage inconnu "aussi noir que la Kabba de la Mecque". D'après le Coran, il retrouva "assez de force pour jeter quarante cavaliers à bas de leur selle et honorer le même nombre de femmes".

A l'inverse, on pourrait rappeler la triste condition d'un roi de Perse à qui "l'usage immodéré du café avait fait prendre les femmes en aversion". On raconte que la reine voyant un bel étalon qu'on allait castrer, avait demandé pourquoi on faisait subir un tel traitement à cet animal. On lui répondit qu'il était si fougueux qu'on devait le châtrer pour le calmer. Elle aurait alors suggéré d'employer un autre moyen pour parvenir au même résultat: donner, chaque matin, du café à ce cheval! Cette histoire ruina, parait-il le commerce du café pendant cinquante ans!

Dans l'Angleterre du XVIIe siècle les femmes faisaient déjà le même reproche au café, comme nous le savons. Au siècle dernier encore, certains prétendaient que le café affaiblissait le "sens génital" et il fallut l'avis autorisé du célèbre docteur Trousseau, de Michel Levy et de Rostand affirmant le contraire, pour qu'on doute de cette information. Ils faisaient aussi remarquer que c'est souvent dans les pays où on boit le plus de café qu'il y a le plus d'enfants!...sans affirmer pour autant, qu'il y ait là une relation directe de cause à effet...

On pourrait citer de nombreux témoignages montrant les effets bénéfiques du café, sans parler des pauvres pélerins complètement épuisés qui avaient retrouvé assez de forces pour continuer leur route, après avoir bu du café préparé par le fameux Cheik Omar, au XIIIe siècle, ni du Mufti Gemaleddin Abou Abdallah, qui avait eu la même surprise après son retour de Perse, au XVe siècle, alors qu'il se sentait si las. Ainsi au XIXe M. Gasparin citait dans un de ses ouvrages le cas des mineurs de Charleroi qui, disait-il, se contentaient "de 1500 grammes d'aliments quotidiens mais qui prenaient quatre à cinq fois par jour de la soupe au café, à qui ils devaient de se bien porter et de pouvoir se livrer à un travail très rude et très pénible". Vers la même époque le docteur Thierry relatait un fait

survenu en Bohême où de pauvres tisserands très mal nourris étaient tombés dans "un état de dépérissement et d'étiolement qui les avaient abâtardis" et à qui les médecins avaient conseillé l'usage du café; depuis lors, disaient-ils, la population s'est transformée et elle jouit d'une vigueur peu commune!

Le succès du café auprès de certains venait aussi de ce que cette boisson exotique était un stimulant intellectuel très précieux. Cependant Montesquieu lui contestait cette vertu, tout en reconnaissant sa vogue grandissante auprès de ses concitoyens. "Le café est très en usage à Paris: il y a un grand nombre de maisons publiques où on le distribue. Dans quelques unes de ces maisons, on dit des nouvelles, dans d'autres on joue aux échecs. Il

La pause café durant la première Guerre. © Phot. Musée des Arts et traditions populaires.

SMOKING

y en a une (Montesquieu pensait en particulier au Procope) où on apprête le café de telle manière qu'il donne de l'esprit à ceux qui en prennent; au moins, de tous ceux qui en sortent, il n'y a personne qui ne croie qu'il en a quatre fois plus que lorsqu'il y est entré" (les *Lettres persanes*, XXXVI). Bien des écrivains, parmi les plus célèbres, étaient de grands buveurs de café. Ainsi Fontenelle prenait du café "pour s'empêcher de dormir et travailler davantage". Brillat-Savarin disait que "le café repousse le sommeil" et était persuadé des effets bénéfiques de cette boisson sur l'esprit, prenant en exemple deux personnages célèbres par leurs écrits, Voltaire et Buffon. "Peut-être devaient-ils à cet usage, le premier, la clarté admirable qu'on observe dans ses oeuvres, le second, l'harmonie enthousiastique qu'on trouve dans son style. Il est évident que plusieurs pages des traités sur l'homme, sur le chien, le tigre et le cheval ont été écrits dans un état d'exaltation cérébrale extraordinaire". Balzac, un des plus grands buveurs de café que l'on ait connu, et qui mérita le titre de roi des buveurs de café, en faisait un usage immodéré. Couché à six heures du soir, il dormait jusqu'à minuit puis travaillait pendant douze heures d'affilée, soutenant son effort considérable en buvant toute la nuit une quantité incroyable de café. A la fin du siècle, certains pensaient qu'on "devrait le prescrire à tous les habitants des pays où règne le crétinisme".

Mais bien avant cela, en 1657, un journal anglais avait fait paraître un article destiné à informer ses lecteurs de tout ce qu'on pouvait attendre de cette boisson qui venait de

Durant la deuxième Guerre mondiale, les soldats ont tous du café dans leur paquetage.
© *CDG.* CI-CONTRE: *publicité* © *Phot. Musée des Arts et traditions populaires.*

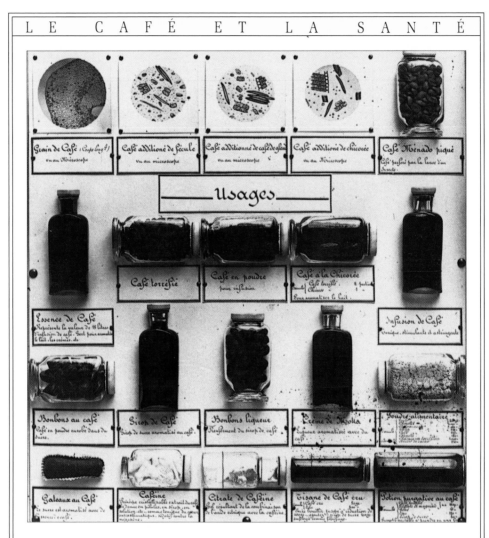

faire une entrée fracassante dans le pays. On lisait, à propos du café, qu'il était capable "de fortifier le coeur, d'aider la digestion, d'activer la respiration, de chasser les idées noires, la toux, le refroidissement, les rhumes, les maux de tête, l'hydropisie, la goutte, le scorbut..et beaucoup d'autres choses" (d'après *Biochemistry and Production*). De leur côté, "les docteurs Pococke, Sloane et le célèbre Radcliff déclaraient aussi qu'il s'agissait d'une parfaite panacée, propre à guérir la phtysie, le catarrhe ophtalmique, l'hydropisie, la goutte, le scorbut, et la variole... bien que mélangé à du lait, il puisse provoquer la lèpre". Le même journal ajoutait cependant "C'est une obligation pour tous les papas et les mamans du monde d'interdire sévèrement le café à leurs enfants, s'ils ne veulent pas avoir de petites machines sèches, rabougries et vieilles à vingt ans". Il encourageait aussi

Planche extraite de l'Histoire du café et montrant diverses préparations. © Viollet.

les adultes à ne pas en abuser: "Le café est une liqueur beaucoup plus énergique qu'on croit communément. Un homme bien constitué peut vivre longtemps en buvant deux bouteilles de vin chaque jour, le même homme ne soutiendrait pas longtemps une pareille quantité de café, il deviendrait imbécile ou mourrait de consomption".

Malgré les outrances de certains et les erreurs des autres, depuis longtemps, on avait su discerner les bienfaits et les dangers du café, en dehors de toute mode passagère. La médecine actuelle a confirmé ses propriété pharmacologiques dues essentiellement à la caféine qu'il renferme. A doses modérées il excite le système nerveux central et stimule les fonctions cérébrales, facilitant ainsi le travail musculaire et intellectuel.

On constate qu'il agit sur le système circulatoire: il augmente le rythme et l'amplitude des contractions du coeur (muscle strié) et améliore la circulation coronaire en jouant un rôle vaso-dilatateur sur les vaisseaux sanguins qu'il dilate; sur le système urinaire, car c'est un diurétique puissant; sur le système digestif en augmentant le volume des sécrétions digestives et en facilitant le transit intestinal (sans pour cela imiter Malebranche qui, parait-il, l'utilisait en lavement et s'en trouvait fort bien); sur le système nerveux, en diminuant la sensation de fatigue et la somnolence et en favorisant la pensée, la réflexion et les associations d'idées. S'il fallait ajouter une preuve à ce qui précède on pourrait se référer à l'exemple donné par les plus fameux détectives qui (d'après leurs auteurs) sont capables de démêler les intrigues les plus tortueuses et de poursuivre des enquêtes in-

Deux publicités pour des marques de café anglaises. © *Phot. Robert Opie.*

LA CAFÉINE

Le café renferme différents alcaloïdes dont le plus important est la caféïne. Cette substance existe dans tous les cafés, mais en différentes quantités, selon les variétés. Les robustas, les plus riches en renferment de 1,5 à 2,7% (2% en moyenne). Les arabicas, de 0,9 à 1,6%, avec une moyenne de 1%. L'excelsa, de 0,9 à 1,2%, et l'eugenioïdes, le plus pauvre, de 0,3 à 0,5%. Elle se présente sous la forme de cristaux blancs, légèrement amers qui se subliment à 178°, ce qui explique sa disparition partielle pendant sa torréfaction. Elle a été découverte dans le café en 1820, par Runge. Jobet et Mulder montrent qu'elle est identique à la théïne découverte en 1827 par Oudry. En 1832, Pfaffaud et Liebig déterminent avec exactitude la composition de la caféïne. En 1843, le chimiste Stenhouse montre que la caféïne existe aussi bien dans les feuilles que dans les graines du caféïer.

Une tasse de café apporte en moyenne à l'organisme de 60 mg à 100 mg de caféïne et le seuil à ne pas dépasser se situe autour de 900 mg. Ce qui se traduit par 10 à 15 tasses de café par jour. Le café et le thé renferment sensiblement autant de caféïne l'un que l'autre, mais le thé renferme aussi de l'adénine qui neutralise en partie la caféïne.

Publicité pour la Caféïne du Yémen. En fait, il devait s'agir d'une préparation à base de café plus que de véritable caféïne. © Phot. Musée de la Publicité.

terminables, après avoir avalé force pots de café... du moins ceux qui n'abusent pas d'autres excitants. C'est un véritable dopant et sauf contre-indication médicale, il est conseillé d'en prendre dans les cas de lassitude et de fatique physique et intellectuelle, sans cause organique. Il est assez efficace contre les migraines, l'ivresse et dans les débuts d'empoisonnement par l'opium, le tabac, la digitale, etc.

En revanche, à trop fortes doses il cause des désordres connus sous le nom de "caféisme" provenant d'un excès de caféine. On s'expose alors à des troubles divers dont les plus fréquents sont l'insomnie, la nervosité, l'irritabilité, l'anxiété et l'arythmie cardiaque. Il faut donc l'éviter dans les états de nervosité, de goutte, d'insuffisance hépatique, pendant tout le jeune âge et en période de grossesse. En cas de tendance à l'insomnie, il vaut mieux ne pas prendre de café dans les heures qui précèdent le coucher ou choisir un produit pauvre en caféine comme un *arabica* ou mieux encore un "décaféiné", bien que tous les individus ne réagissent pas de la même façon.

En face de ce concert de louanges, les détracteurs du café l'accusaient d'être un véritable poison et même un "poison dangereux" disait Saint Simon en voyant le Régent ingurgiter d'énormes quantités de ce qu'il appelait "cette boue noire, bonne tout au plus pour la lie du peuple". Poison peut-être, mais "poison lent" répliquaient les fameux buveurs de café Voltaire et Fontenelle qui parlaient en connaissance de cause puisque, malgré les abus qu'ils en avaient fait tout au long de leur vie, le premier atteignit l'âge de quatre vingt-cinq ans et le second devint centenaire.

Les mêmes controverses existaient dans bien d'autres pays. En Suède, le Roi Gustave III voulant être fixé sur ce point, fit tenter une curieuse expérience sous le contrôle de deux médecins. Ayant gracié deux frères jumeaux, condamnés à mort pour meurtre, on obligea l'un deux à boire chaque matin une tasse de café et l'autre une tasse de thé, pour en comparer les effets. Un des médecins vint à mourir, puis ce fut le tour de l'autre. Les juges qui avaient rendu la sentence de mort disparurent puis ce fut le tour du roi. Quant au buveur de thé il atteignit l'âge de quatre-vingt trois ans et le buveur de café mourut le dernier.

Les plus chauds partisans du café ont cependant fait quelques restrictions à son sujet. On savait depuis longtemps qu'il ne fallait pas en donner aux jeunes enfants, alors qu'il était recommandé dans la vieillesse. Brillat-Savarin lui même faisait de sages recommandations conseillait, lui aussi, de ne pas en donner aux enfants.

Le café a maintenant conquis le monde entier et le temps n'a pas entamé son succès. Les choses n'ont guère changé depuis que les hommes ont découvert ce breuvage magique toujours prêt à offrir ce qu'on attend de lui en toute occasion: commencer la journée par une boisson agréable et tonique; terminer heureusement un repas, qu'il soit frugal ou copieux; donner un petit coup de fouet, au moment voulu, pour chasser fatigue ou ennui; retarder le sommeil, si besoin en est; réunir quelques minutes ou plus longtemps, ceux qui apprécient ce petit plaisir encore plus intense lorsqu'il est partagé.

Le Café dans le Monde

Le café est une joie de tous les jours. Beaucoup de gens sont de cet avis puisqu'un tiers de la population du globe boit du café. En Europe, les Finlandais arrivent en tête avec une consommation annuelle de plus de 12 kg par habitant. Ils se réunissent souvent dans une maison amie pour déguster un café assez fort, accompagné de toutes sortes de douceurs. Les Suédois, les Norvégiens et les Danois les talonnent ou parfois les dépassent avec une moyenne de 11 à 12 kg par habitant, ce qui représente, en moyenne, 5 grandes tasses par jour. Parmi tous ces peuples nordiques, ce sont les Lapons, du moins les semi-sédentaires, qui sont les plus grands buveurs de café.

Les Hollandais, qui les suivent de près avec 9,5 kg annuels, en boivent en toutes occasions, fêtes, réunions, discussions, et jeunes ou vieux le dégustent aussi bien à la maison qu'au dehors.

Les Belges viennent ensuite avec une moyenne de 8 kg par an, mais les Wallons en consomment 1/3 de plus que les Flamands. Au total, 60 millions de kg de café torréfié sont bus dans le pays, surtout en famille. D'après certaines statistiques, les plus grands consommateurs ont de trente à soixante ans car les jeunes préfèrent la bière ou d'autres boissons. Ils ne boivent guère de café en dehors de chez eux.

Allemands et Autrichiens en boivent plus de 7 kg par an, et achètent les meilleurs cafés qu'ils aiment moyennement torréfiés. Leur goût les porte vers des cafés doux et aromatiques. Ils en boivent à tous moments de la journée. Les réunions de femmes l'après-midi, autour d'une tasse de café accompagné de lait ou de crème et d'un assortiment de tartes et de gateaux divers, sont très particulières à ce pays. C'est le *Kaffeklatsch*.

Les Français en boivent 5 kg par an et par habitant. Pour la grande majorité des gens, la journée débute traditionnellement par un bol de café au lait ou par une grande tasse de café noir plutôt fort et les repas sont suivis d'un ''petit café'' noir et fort. On en boit autant à la maison qu'au dehors.

Les nuances chatoyantes du café de Colombie. © *International Coffee Organisation.*

Les Français en boivent 5 kg par an et par habitant. Pour la grande majorité des gens, la journée débute traditionnellement par un bol de café au lait ou par une grande tasse de café noir plutôt fort et les repas sont suivis d'un "petit café" noir et fort. On en boit autant à la maison qu'au dehors.

Les Italiens, de fameuse renommée cependant, n'en boivent que 4 kg par an, mais ils ont une manière particulière de le préparer. Avec seulement 7 grammes de café ils font un expresso très fort au lieu des 10 ou 12 grammes que nous utilisons dans nos cafétières habituelles. On le boit surtout dehors et debout au comptoir. Leur café, très concentré, se boit toujours accompagné d'un grand verre d'eau fraiche, mais ils commencent la journée par un "grand café" ou un "Cappucino".

Les Anglais n'en consomment que 2,5 kg par an mais chacun sait qu'ils sont tournés vers le thé depuis longtemps. Ils utilisent principalement du café soluble.

Les pays de l'Est boivent peu de café, sauf les provinces russes qui touchent la Scandinavie.

L'Amérique latine, très grand producteur de café, n'est pas un très grand consommateur pour des raisons bien simples: les meilleurs produits sont exportés et le pouvoir d'achat des habitants est plutôt bas. En Amérique Centrale et en Amérique du Sud où l'on aime vraiment le café, celui-ci semble réservé à une certaine tranche d'âge. Un Sud-Américain adulte, par exemple, peut boire en moyenne une vingtaine de tasses par jour. Le "cafézinno" brésilien, moitié sucre, moitié café, se déguste brûlant, à petites gorgées pour le savourer lentement comme une friandise.

En Amérique du Nord, la consommation est d'environ 5 kg par an et par habitant, comme en France, mais moins qu'en Europe en général. On remarque aussi que plus on

A Londres, la pause des chauffeurs de taxi. © Phot. BBC.

va vers le nord, plus on en boit. On en prend souvent plusieurs tasses pendant les repas et la pause-café au bureau est une institution sacro-sainte comme chez les nordiques d'Europe. En général, le café est léger et pas très parfumé. Cependant les Américains achètent les meilleurs produits du marché. Ils utilisent aussi beaucoup de soluble.

L'ORGANISATION INTERNATIONALE DU CAFÉ

Le café devient un produit de base important dans les échanges internationaux, au cours du XIXe siècle. Il connaît alors de longues périodes de surproduction et de faibles prix, et de brèves périodes de production insuffisante et de prix élevés. Pendant les années 1930 et pendant la seconde guerre mondiale de 1939 à 1945, les demandes ayant diminué, les prix tombent. Après la guerre, les demandes reprennent et la production est alors insuffisante pour les satisfaire. Entre 1950 et 1953, les stocks très appauvris ne permettent plus d'échanges normaux et la situation s'aggrave encore au moment où éclate la guerre de Corée et où une grande sécheresse, suivie d'une période de gel frappe le Brésil. Les prix montent vertigineusement en 1953, d'où l'augmentation des plantations dans le monde entier. Il y a surproduction et les stocks s'enflent. En conséquence, autour

Ce n'est pas Chicago au temps de la mafia, mais un modeste café de Liverpool dans les années trente. © Phot. BBC. PAGE SUIVANTE: un café moderne, à Londres, The Moka Bar, First Street, à Soho. © BBC.

des années soixante, les prix subissent un recul spectaculaire.

En vue de stabiliser le marché et d'enrayer la baisse des prix qui avaient eu de graves répercussions économiques et politiques sur les pays producteurs de café en Amérique Latine et en Afrique, une commission intergouvernementale réunissant les pays producteurs rédige en 1962 l'Accord international sur le café, qui va donner naissance en 1963 à l'Organisation Internationale du Café (L'OIC). Cet accord rédigé à New York, au siège des Nations Unies, fut suivi par ceux de Londres signés en 1968-1976 et 1983, ce dernier étant valable jusqu'en 1989. Les deux premiers accords ont contribué à maintenir les prix à un niveau relativement stable de 1963 à 1972 et à équilibrer la production et la consommation, en travaillant ainsi à renforcer l'économie des pays producteurs de café et à favoriser l'expansion de la coopération et des échanges internationaux.

L'OIC regroupe 75 pays dont 50 sont des exportateurs fournissant 99% de la production mondiale et 25, des importateurs représentant 90% de la consommation mondiale. Elle assure aux consommateurs un approvisionnement suffisant à des prix équitables, et aux producteurs, des débouchés à des prix convenables évitant les fluctuations excessives. Elle administre les dispositions de l'Accord et surveille son fonctionnement depuis 1963:
- par un système de contingentement des exportations, instauré pour assurer la stabilité des prix par un système obligatoire de contrôle (chaque exportation de café d'un pays membre doit être couverte par un certificat d'origine et les pays importateurs doivent refuser les lots de café non validés par un certificat émis par L'OIC);
- par la constitution de stocks dans chaque pays membre exportateur qui sont vérifiés chaque année (qualité et quantité);
- par la constitution d'un Fonds de propagande qui finance l'institution de Centres de café dans différents pays ainsi que certaines recherches scientifiques pour améliorer la qualité du café. Enfin, elle se charge de faire effectuer des études économiques et des recherches sur la production, la distribution et la consommation de café.

L'OIC qui siège en permanence à Londres, constitue une tribune où les représentants des membres exportateurs et des membres importateurs se réunissent et travaillent afin d'assurer le bon fonctionnement de l'Accord. Elle exerce ses fonctions par l'intermédiaire:
- du Conseil international du café composé de tous ses membres, qui représente l'autorité suprême de l'Organisation;
- du Comité exécutif responsable devant le Conseil, composé de 8 membres exportateurs et 8 membres importateurs élus chaque année et rééligibles: il règle les opérations quotidiennes;
- du Directeur exécutif nommé par le Conseil et chargé de l'administration et du personnel. Des réunions de ces différents organismes ont lieu régulièrement plusieurs fois par an. Le Conseil se réunit ordinairement deux fois pendant une à deux semaines. Le Comité six à huit fois pendant un à trois Jours. Le Comité de propagande, deux fois par an. De plus, divers groupes de travail se réunissent tout au long de l'année, chaque fois qu'il en est besoin. (renseignements fournis par l'OIC.)

MEMBRES DE L'ORGANISATION INTERNATIONALE DU CAFE

Note: les membres de l'OAMCAF sont en caractères gras.

MEMBRES EXPORTATEURS (50)
Angola
Bénin
Bolivie
Brésil
Burundi
Cameroun
Colombie
Congo
Costa Rica
Côte d'Ivoire
Cuba
El Salvador
Equateur
Ethiopie
Gabon
Ghana
Guatemala
Guinée
Guinée équatoriale
Haïti
Honduras
Inde
Indonésie
Jamaïque
Kenya
Libéria
Madagascar
Malawi
Mexique
Nicaragua
Nigéria
Ouganda
Panama
Papouasie-Nouvelle-Guinée
Paraguay
Pérou
Philippines

République centrafricaine
République Dominicaine
Rwanda
Sierra Leone
Sri Lanka
Tanzanie
Thaïlande
Togo
Trinité-et-Tobago
Venezuela
Zaïre
Zambie
Zimbabwe

MEMBRES IMPORTATEURS (25)
Allemagne, République fédérale d'
Australie
Autriche
Belgique/Luxembourg
Canada
Chypre
Danemark
Espagne
Etats-Unis d'Amérique
Fidji
Finlande
France
Grèce
Irlande
Italie
Japon
Nouvelle-Zélande
Norvège
Pays-Bas
Portugal
Royaume-Uni
Singapour
Suède
Suisse
Yougoslavie
Communauté économique européenne

EXPORTATIONS DES PRINCIPAUX PAYS EXPORTATEURS
VERS TOUTES LES DESTINATIONS
(EN TONNES)

PAYS EXPORTATEURS	1981/82	1986/87
TOTAL (EN MILLIERS DE SACS)	61 574	62 517
TOTAL (EN TONNES)	3 694 440	3 751 020
A (Pays membres dont les exportations sont contingentés annuellement par l'O.I.C.)		
ARABICA COLOMBIENS DOUX	700 002	794 880
COLOMBIE	546 600	631 620
KENYA	91 560	118 020
TANZANIE	61 860	45 240
AUTRES ARABICA DOUX	843 840	1 061 340
COSTA-RICA	94 920	114 960
EL SALVADOR	119 820	121 200
EQUATEUR	72 180	113 340
GUATEMALA	119 220	151 200
HONDURAS	64 020	88 260
INDE	83 880	84 420
MEXIQUE	117 780	211 320
NICARAGUA	47 640	35 160
NOUVELLE-GUINÉE	47 580	52 020
PÉROU	42 720	60 480
RÉPUBLIQUE DOMINICAINE	34 020	28 980
BRÉSILIENS ET AUTRES ARABICA	1 059 780	684 180
BRÉSIL	974 150	613 740
ETHIOPIE	85 620	70 440
ROBUSTA	932 820	1 008 960
ANGOLA	51 000	17 820
INDONÉSIE	210 720	297 600
CAMEROUN		
	99 960	100 980
CÔTE-D'IVOIRE	265 380	218 470
MADAGASCAR	51 840	45 180
R.C.A.	10 440	7 440
TOGO	9 420	12 480
OUGANDA	139 860	145 500
PHILIPPHINES	21 120	30 000
ZAIRE	66 060	130 500
B (Pays membres contingentés solidairement à 4.2% des exportations mondiales)		
ARABICA		
BURUNDI	31 440	26 450
CUBA	13 140	12 840
HAITI	14 880	14 280
RWANDA	29 400	39 300
ROBUSTA		
LIBÉRIA	9 880	5 460
SIERRA LÉONE	11 820	6 240
THAÏLANDE	8 280	21 640

Il est assez curieux de constater qu'après avoir fait la richesse des Antilles, de la Guyanne, de Madagascar, de Maurice et la Réunion, le café n'occupe plus qu'une place minime dans l'économie de ces territoires tandis que l'Indonésie a conservé de belles plantations. L'Arabie en produit très peu maintenant, après avoir été un temps le grand pourvoyeur de l'Occident et le commerce du café occupe une place moins importante que celui du Kât. En revanche on le cultive toujours en Ethiope mais il prospère également en d'autres régions d'Afrique en particulier en Angola, en Ouganda et surtout en Côte d'Ivoire où les plantations se sont multipliées à tel point que ce pays est actuellement le troisième producteur mondial.

157

BIBLIOGRAPHIE

F. BARKER AND P. JACKSON, *London 2000 years of a city.*

B. BENNASSAN, *les conquérants du Brésil.*

D. BOIS, *les plantes alimentaires chez tous les peuples et à travers les âges*, Lechevallier.

BRILLAT-SAVARIN, *Physiologie du goût*, Bonnot.

M. BRION, *La vie quotidienne à Vienne à l'époque de Mozart et de Schubert*, Hachette.

Dr. Eugen C. BURGIN, *Café.*

A. CHEVALIER, *Le Café*, Que sais-je?, P.U.F.

M.N. CLIFFORD, K.C. WILLSON, *Coffee Botany, Biochemistry and Productions off beans and Beverage.*

A. CLOT, *Soliman le Magnifique*, Fayard.

N. CORTLAND CURTIS, *New Orleans*, J.B. Lapincott.

J.P. CRESPELLE, *La vie quotidienne à Montparnasse à la grande époque*, Hachette.

J.L. DELAMARE, *Rapport sur le Café en URSS*, O.I.C.

M. DEVEZ, *L'Europe et le Monde à la fin du XVIIIe siècle*, Albin Michel.

ED. FORBES ROBINSON, *The early history of coffee houses in England.*

P. GAY, *Le siècle des lumières*, Time life.

A. GUYOT, *Origine des plantes cultivées*, Que sais-je? P.U.F.

HILLAIRET, *Dictionnaire historique des rues de Paris*, Ed. de Minuit

F. GABRIELLI, *Histoire et civilisation de l'Islam en Europe*, Bordas.

IRCC, *Institut de recherches sur le Café et le Cacao.*

IBN BATTUTA, *Les voyages d'Ibn Battuta*, Maspéro.

PH. JOBIN, *Les cafés produits dans le monde.*

W.I. KAUFMAN, *La cuisine au café.*

LARWOOD, *Histoire des enseignes.*

LECOMTE, (abbé), *Revue de Rouen*, 1848.

J. LEVRON, *Paris se souvient*, Perrin.

B. LILLYWHITE, *London coffee houses*, G.H. Uwundt.

LINNEL ET ARNOULT, *Plantes utiles du monde entier*, Nathan.

J.T. MAGILL, *A brief history of New Orleans Hotels and Restaurants.*

MAITLAND, *Histoire de Londres.*

R. MANTRAN, *La vie quotidienne à Constantinople au temps de Soliman*, Hachette.

R. MILLER, *La Route des Indes* Time life.

OFFICE BELGE DU CAFÉ, *Café mon ami.*

OIC, *Office International du Café.*

C.A. STANLEY, *Old New-Orleans*, Harmanson.

E. VERCHERIN, *Le Café*, mémoire de maîtrise, 1984.

Jan WENIG, *Que racontent les vieilles maisons de Prague?*

ARBOOK INTERNATIONAL:

Direction artistique
MARC WALTER - PATRICK LEBEDEFF

Mise en page
CORINNE PAUVERT

Iconographie
CATHERINE DONZEL - SABINE GREENBERG

Composition, photogravure: Arbook International.